KB196501

세상이 멈추자 일기장을 열었다

세상이 멈추자 일기장을 열었다

정상필 지음

한국 아빠 프랑스 엄마와 네 아이,
이 가족이 코로나 시대를 사는 법

오엘북스

Pour Raphaël, Régina, Marina, Pédro, Anna et Katarina,

Pour Yves, Clémence, Claire-Cécile, Simon et Louise,

Pour Lumie, Iyann, Isaac, Bosco et Marion.

나의 사랑하는 가족들에게 이 책을 바칩니다.

사람들은 과거의 안락한 삶을 단번에 되찾을 수 없을 것이며,
다시 짓는 일보다 부숴버리는 것이 더 쉽다는 데 동의하고 있었다.

—알베르 카뮈, 《페스트》

2020년 봄, 그 일상의 기록

너무나 벼락같은 일이어서 현실로 받아들이기 어려웠다. 학교를 폐쇄할 때까지는 그럴 수 있다고 생각했다. 한국의 경우도 3월 개학을 계속해서 미루고 있던 상태였다. 한국보다 늦게 시작됐지만 점점 상황이 심각해지고 있는 프랑스에서 3월 중순부터 휴교한다는 결정은 합리적이라고 생각했다. 그런데 며칠 후 전 국민을 상대로 집 밖에도 나갈 수 없도록 하는 강제 자가격리 조치가 취해졌다. 인권의 나라로 불리는 프랑스가 개인의 자유를 전면 통제하다니. 처음엔 너무나 초현실적이어서 믿을 수 없었다.

이 글은 코로나19 사태로 2020년 3월 16일부터 5월 10일까지 56일 동안 집안에 갇혀 지낸 우리 가족의 일상을 기록한 것이다. 프랑스 정부의 공식 이동제한령은 화요일인 3월 17일에 내려졌지만, 16일(월요일)부터 적용된 휴교령은 그 전주 목요일인 3월 12일 결정됐다. 15일(일요일)

에 종교행사가 제한되면서 성당의 미사가 취소됐고, 16일부터는 생필품을 파는 마트와 약국 등 최소한의 상업시설을 제외한 모든 상점이 폐쇄됐다. 우리는 학교와 상점들이 닫힌 16일부터 실질적으로 격리 상태에 들어갔다. 일기의 격리 기간(56일)이 프랑스 정부의 공식 격리 기간(55일)과 하루 차이가 나는 이유다.

전에도 없었고 앞으로도 있기 어려운 일이 눈앞에서 벌어지고 있었다. 그래서 기록으로 남기기로 했다. 일기를 쓰기 시작한 것이다. 가깝게는 몇 년 후 내가 일기를 읽으면서 2020년 봄에 그런 일이 있었어, 라고 회상할 수 있기를 바랐고, 멀게는 몇십 년 후 아이들이 일기를 읽으며 유례가 없었던 코로나 브레이크 기간을 떠올렸으면 했다. 실은 한국어에 서툰 아이들이 한글로 된 내 글을 읽어주기를, 글을 읽으며 나와 아내가 자기들을 위해 어떻게 하루하루를 보냈는지 알아줬으면 하는 욕심도 있었다.

이동제한령이 발표됐을 때는 2주 후에 끝날 수 있다는 소문이 있었다. 애당초 기간을 최소한 2주로 잡았기 때문이다. 하지만 소문은 소문으로 끝이 났고, 나의 일기쓰기는 두 달 동안 지속됐다. 오랜만에 일간지 기사를 마감하듯 글을 쓰는 게 녹록치 않았다. 쉬운 일이 아니기에 동기부여가 없다면 중간에 놔버릴 수도 있겠다는 걱정이 앞섰다. 그래서 꾸준히 해본 적이 없는 블로그를 이용했다. 공개적으로 글을 쓰면 다른 사람들과의 약속 때문에도 거르지 않을 것 같았다. 주 독자는 형과 누나들이었다. 그러니까 내 일기는 한국에 있는 가족들의 "거기는 어때?", "격리생활이 지낼 만해?" 같은 질문에 답하는 편지이기도 했다.

일기를 책으로 엮자는 오엘북스 옥두석 대표님의 제안에 잠시 망설였던 게 사실이다. 너무나 개인적이어서 제목조차 '일기'인 이 글이 독자들에게 어떤 울림을 줄 수 있을까 고민하지 않을 수 없었다. 그러나 한국의 독자들에게 생소한 프랑스식 육아와 잔잔한 일상의 이야기들이 색다른 공감을 얻어낼 수도 있다는 옥 대표님의 말씀에 용기를 얻었다. 감사의 말씀을 전한다.

나를 전혀 모르는 독자들의 이해를 돕기 위해 알고 있으면 도움이 될 기본적인 정보들을 적어둔다. 일기 속의 나는 2남3녀 중 막내로 어린 시절을 시골에서 보냈다. 시골이지만 읍내여서 자연친화적인 인간은 아니다. 아주 도시적이지도, 그렇다고 시골스럽지도 않은 환경이었다. 프랑스인 아내와는 일간지 기자로 일하던 광주에서 만났다. 파리에서 신혼살림을 꾸렸는데, 아이 둘이 생겼을 무렵 서울로 가서 몇 해를 살았다. 그리고 아이 셋과 함께 다시 프랑스로 돌아와 블루아에서 3년째 살고 있다. 지난해에 넷째가 태어나서 우리 가족은 여섯이 됐다.

아내는 초등학교 교사이고, 나는 우버 기사다. 전에는 프랑스에 취재 오는 방송국 기자나 피디의 코디네이터를 한 적도 있고, 번역을 하고 가이드 일을 한 적도 있지만, 오랫동안 나의 정체성은 기자로 여겨왔다. 그러나 제법 큰 아이들이 "아빠는 직업이 뭐냐?"고 묻기 시작하자 내가 간직하던 정체성 따위는 중요하지 않게 됐다. 난 우버 기사야, 그러니까 공유경제, 플랫폼 노동자, 신노예제…… 아니 택시 비슷한 거 운전하는 사람, 이라고 알기 쉽게 말하지 않으면 아이들은 이해하지 못할 테니까. 기자, 라고 아이들이 말을 꺼내면, 나는 기자였었지, 라고 고쳐주고 운전하면서 가끔 글도 써, 라고 조그맣게 읊조렸다.

우리가 사는 곳은 프랑스 중부의 블루아다. 인구 4만5000명 정도의 작은 도시이지만 일종의 도청소재지여서 있을 건 다 있다. 법원도 있고, 경찰청도 있다. 생활권이 같은 인접 지자체들까지 합치면 인구가 11만 명 정도 된다. 루아르 강변에 위치한 블루아에는 중세 왕들이 사용했던 성이 구도심에 있다. 루아르 강을 따라 고성(古城)이 즐비해 있어서 여름이면 관광객이 꽤 있는 편이다. 파리까지는 차로 2시간 정도 걸린다. 아내는 포도주로 유명한 보르도 지역 출신인데, 장인 장모님이 사는 곳은 인구 300명에 불과한 작은 시골마을 뽕도라(Pondaurat)이다. 뽕도라에서 블루아까지는 차로 5시간이다. 아내에게는 독일 남자와 결혼해서 슈투트가르트 인근에 사는 여동생이 하나 있다. 이 건축가 부부 사이에는 딸이 있다.

그런데 이런 자잘한 정보들은 별로 중요하지 않을지도 모르겠다. 그게 없더라도 우리 가족의 일상을 얼마든지 설명할 수 있을 것이기 때문이다. 다만 내가 날마다 품고 사는 질문들은 바이러스로 인해 세상이 멈추게 된 이후에도 계속 유효하다. 오히려 격리된 상황이었기에 나는 더욱 가족, 부부, 육아, 행복, 사랑 같은 키워드에 내 생각을 집중할 수 있었다. 독자들이 나의 글을 통해 그런 가치들을 떠올리고 음미해볼 수 있다면 더할 나위 없는 일이 될 것 같다. 고백하건대 나는 가족의 의미를, 결혼을 하고 스스로 가족을 꾸린 뒤에야 새롭게 알아가고 있는 중이다. 다 가족 덕이다.

2020년 5월
루아르 강변에서

contents

첫째 주

전쟁이 벌어지면 사람들은 말한다.
"오래 걸리지 않을 거야. 어리석은 일이니까."
전쟁은 확실히 어리석은 일이지만 오래 걸리지 말란 법은 없다.
만약 우리가 늘 자기 생각만 하지 않는다면,
어리석은 일은 언제나 집요하다는 걸 깨닫게 될 것이다.
—알베르 카뮈, 《페스트》

딸아, 사재기 아니란다
3월 16일(격리 1일째) 월요일 흐리고 비

지난주 목요일 발표된 휴교령이 오늘부터 전격 시행됐다. 그 사이에 학교뿐 아니라 슈퍼마켓과 약국, 병원을 제외한 모든 상점을 닫는, 정부의 초강력 조치가 취해졌다. 며칠 내로 이동을 제한하고 군대가 투입될 것이라는 소식도 들렸다. 일상에 변화가 생긴 것은 어제부터였다. 일요일 미사를 갈 수 없었기 때문이다. 누군가는 100명 이상 모이는 집회를 금지한 것이므로 성당에서 100명을 선착순으로 끊어 미사를 할 것이라고 했다. 하지만 이내 사실이 밝혀졌다. 아내가 본당 주임신부님으로부터 미사 취소를 알리는 단체 문자를 받은 것이다. 거의(?) 가톨릭 국가인 프랑스에서 전염병 때문에 미사가 취소되는 초유의 사건이 발생했지만 종교 탄압이라는 목소리는 들을 수 없었다. 한국인이 순종적인가, 프랑스인이 순종적인가. 어제 오후에 본 장면을 떠올리면 더 헷갈린다.

오랜만에 따뜻한 날씨였기 때문에 집안에만 있을 수 없었다. 우리 여섯 식구는 자전거와 탁구채, 야구 글러브, 간식 등을 준비해 데메 공원으로 나들이를 갔다. 역시 주차장에 빈 곳이 없을 정도로 많은 사람이 공원에 나와 있었다. 마스크를 쓴 사람은 단 한 명도 보지 못했다. 휴교령까지 내린 상황이라 사람들의 대화 주제는 단연 코로나 바이러스였다. 아무리 야외라고 해도 아무렇지 않게 한 장소에 이토록 많은 사람이 모여 있는 걸 보자 한국인들과는 코로나19에 대한 인식 차이가 있어 보였다. 물론 나를 포함해서 말이다. 일요일 오후 데메 공원의 평온한 풍경에서 어느 순간 왠지 모를 슬픔을 느꼈다. 아무렇지 않게 뛰노는 아이들과 걱정스러운 눈으로 그들을 바라보는 어른들의 모습이 뒤섞이면서 태풍전야나 최후의 만찬이 떠오르기도 했다. 전쟁은커녕 군대도 안 가봤을 저들이 내일부터 닥치게 될 이동의 자유 제한이 얼마나 엄청난 일인지 알기나 할까. 나는 30개월 동안 겪어봐서 조금 안다. 다만 언제 풀리게 될지 기약이 없다는 점에서 지금의 사태가 더 엄중하다.

휴교령과 상관없이 월요일은 원래 장보는 날이다. 휴교령 첫날 아내는 교직원 회의에 참석하기 위해 학교에 갔다. 오전에 막내를 재우고 슈퍼마켓으로 달려갔다. 첫째한테 혹시 막내가 깨면 좀 놀아주라는 당부를 해뒀다. 월요일 아침 시간에 그렇게 많은 사람을 슈퍼마켓에서 본 것은 처음이었다. 주차할 곳이 마땅치 않아 두 바퀴 정도 돌다 자리를 찾았을 정도였다. 한국 포털사이트의 외신 뉴스에 나온 것처럼 화장지를 사기 위해 몸싸움을 하지는 않았지만 사람들의 얼굴이 눈에 띄게 근심으로 가득 차 보였다. 또 하나 눈에 띈 점은 장갑이었다. 마스크를 쓴 사람은 없었어도 얇은 고무로 된 일회용 장갑을 낀 사람들은 쉽게 찾아볼 수 있었다. 심지어 설거지용 빨간색 고무장갑을 낀 사람도 있었다. 마스크 대신 목도리로 입과 코를 가린 사람도 심심치 않게 볼 수 있었다. 마스크를 쓰기 싫어서 안 썼다기보다 구할 수 없어 못 쓴 게 아닌가 하는 생각이 들었다.

화장지, 밀가루, 스파게티, 계란 등이 주 공격 목표인 듯했다. 진열대에 빈자리가 확연해 보였다. 나는 최대한 사재기를 하지 않기 위해 심리적으로 노력했다. 평소처럼 하자. 가능하다면 평소보다 덜. 원래 버터는 250그램짜리 네 개를 사는데 오늘은 세 개만 들었다. 모두가 평소처럼 행동한다면 물품 부족 대란은 일어나지 않을 것이라는 평범한 진리를 떠올렸다. 그렇지만 나의 이런 소극적 행동은 크게

사재기의 주 공격 목표인 스파게티와 밀가루, 계란 등의
마트 진열장이 텅 비어 있다.

도움이 될 것 같지 않았다. 딱 봐도 사재기인 것으로 보이는 카트를 어렵지 않게 볼 수 있었다. 자기 덩치보다 더 큰 카트를 밀고 다니는 사람들이 주로 장갑을 끼고 있다는 것도 알 수 있었다. 이 마켓에서 스무 개 남짓 계산대 전체가 열린 것은 처음 보는 장면이었다. 뿐만 아니라 계산대마다 그렇게 긴 줄도 처음이었다. 내 앞에도 열 명 정도가 줄을 서 있었다. 그 사이에 막내가 잠에서 깼다는 첫째의 전화를 받았다. 아시아 식품점에 들러 부랴부랴 라면을 사서 집에 돌아갔다. 라면은 종류별로 총 아홉 개 정도 골랐는데 그걸 두 팔에 가득 담고 집으로 들어서자 첫째가 "사재기하는 거예요?"라고 물었다. 나는 당황하지 않고 "아니, 보통 이 정도 사!"라고 답했다.

점심을 먹고 첫째, 둘째, 셋째를 식탁에 둘러앉게 했다. 학교 놀이를 할 생각이었다. 그런데 솔직히 뭘 어떻게 해야 할지 알 수 없었다. 더구나 레벨이 너무나 각각 아닌가. 첫째는 중학생, 둘째는 초등학생, 셋째는 유치원생이다. 아이들과 정원에라도 나가 햇볕을 쬐고 싶었지만 어제 그 해님은 어디로 갔는지 오후 들어 비가 추적추적 내리기 시작했다. 첫째는 학교통신문을 받는 사이트가 다운되는 바람에 숙제를 알 수가 없다고 투덜댔다. 그러다 첫째와 둘째 모두 다행히 노트에 월요일 숙제를 적어둔 게 있어서 그걸 하기로 했다. 셋째는 글씨쓰기 연습을 하려고 했지만 뜻대로 되지 않았다. 레고나 만화영화가 아닌 경우 최대 집중 시간이 5분을 넘기지 못하는 셋째를 선생님도 아닌 내가 다룬다는 것은 역시 쉽지 않은 일이었다. 첫째와 둘째의 숙제가 끝나고 우리 넷은 셋째가 하던 종이비행기 접기 놀이를 이어갔다. 각자 접은 종이비행기 멀리 날리기. 오늘 우리가 할 수 있는 체육 활동은 이 정도였다.

집에 돌아온 아내는 내일부터 학교에 가지 않아도 된다고 했다. 다만 학생들에게 일주일 단위로 집에서 할 수 있는 숙제를 내주고 학생들이 제출한 숙제를 집에서 고쳐주면 된다. 아내가 처가인 뽕도라에 가는 건 어떻겠느냐고 물었다. 수요일부터 통행금지 조치가 시작되므로 만약 뽕도라에 가려면 내일 출발해야 한다. 뽕도라는 정원이 넓고 워낙에 시골이어서 아무리 오래 지내도 갇혀 있다는 느낌을 받지는 않을 것이다. 장인 장모와 함께 지내면 식구 수가 많아지는 만큼 경제적으로도 이익이 될 것이었다. 그러나 우리는 그냥 블루아에 있기로 결정했다. 언제 휴교령이 철회될지 모르고 아내가 다시 학교에 가야 할 일이 생길 수도 있으므로.

나 역시 우버 일을 할 수 없게 됐다. 사실 할 수 있는지 없는지는 잘 모른다. 그러나 거의 통행금지 수준의 조치가 내려진 이상 현실적으로 택시를 타려는 수요가 얼마나 될까 생각이 든다. 하루에 두세 명 태우려고 투르까지 가는 것도 그리 좋은 생각은 아니다. 하루 벌어 하루 먹는 내 처지에서 일을 못하게 되면 타격이 크다. 당장 집세 걱정이 앞섰는데, 구글 첫 화면에서 '마크롱이 집세에 대한 일시 정지 조치를 내리다'라는 기사 제목을 읽었다. 뭘 어떻게 조치한다는 것인지 자세한 내용은 읽지 못했지만 서광이 비치는 듯한 한 줄이었다.

내일은 오늘보다 좀 나을 것이다. 장 보러 가지 않아도 되고 혼자서 학교놀이를 하지 않아도 되기 때문이다. 그저 날씨가 푸근해지 길 바랄 뿐이다. 정원에서 둘째와 캐치볼이라도 할 수 있게 말이다. 캐치볼뿐 아니라 잔디깎기 등 겨우내 방치하다시피 했던 화단을 관리하면서 시간을 보낼 수도 있다. 이런 낙도 기대할 수 없는 아파트에서 사는 사람들은 얼마나 답답할까 생각하며 집콕 첫날을 마무리한다.

외출 증명서라니

3월 17일(격리 2일째) 화요일 흐림

2주 전 자동차 정기검사를 예약했다. 오늘 오전 9시 15분이었다. 어제 아침에 예약을 수요일로 하루 늦출 수 있느냐고 전화했더니 그날부터는 공장 문을 닫을 예정이기 때문에 원래 시간에 오든지 아니면 취소하고 다시 약속을 잡으라고 했다. 생각 끝에 그냥 원래 시간에 가겠다고 했다. 그런데 오늘 아침 일찍 다시 전화가 왔다. 내일이 아니라 오늘부터 공장 업무가 중단됐으니 올 필요가 없다는 것이었다. 오늘부터 본격적인 통행금지령이 시행된 것이다.

프랑스 정부로부터 안내 문자가 왔다. 집 밖으로 나오지 말고, 꼭 나와야 한다면 증명서를 지참하라는 내용이었다. 집에 TV가 없어서 뉴스를 보려면 인터넷에 접속해 사이트를 찾아들어가야 했다. 문자를 받은 뒤 정확한 발표 내용을 보기 위해 정부 사이트에 들어갔다. 정부가 내린 통행금지령은 다섯 가지 예외사항이 아니면 이동하지 말

것을 주문하고 있었다. 예외에 해당하는 경우에는 정부 사이트에서 증명서를 출력해 인적사항을 적고, 다섯 가지 예외 가운데 어디에 해당하는지 구체적으로 밝혀야 한다. 증명서를 지참하지 않고 길거리를 배회하다 적발되면 벌금형(최대 135유로)까지 받을 수 있다고 했다.

예외사항이란 첫째, 업무상 이유다. 재택근무를 할 수 없어서 꼭 이동을 해야만 하는 경우인데 이때는 회사가 증명하는 서류를 한 장 더 가지고 다녀야 한다. "아래의 사람은 이러이러한 이유로 A지점에서 B지점까지 이동해야 한다."는 내용이 적혀 있다. 둘째, 식료품 등 일상생활에 필수적인 물품들을 사러 가는 경우다. 셋째는 건강상 이유로 병원이나 약국에 갈 때이고, 넷째는 도움이 필요한 가족을 위해 이동이 불가피한 경우다. 다섯째 예외사항은 집 근처에서 운동을 하거나 애완동물 산책을 시키는 경우로, 물론 단체 운동은 여기 해당되지 않는다. 우리집에서 멀리 보이는 큰 길은 평소와 비교가 되지 않을 정도로

지참하지 않으면
벌금을 무는 외출 증명서

한산했다. 신호등에 멈춰선 차도 한 대 많아야 두 대에 그쳤다.

　　자동차 정기검사가 취소됐으므로 오전부터 학교놀이를 하기로 했다. 오늘은 아내가 있어서 든든하다. 아내는 아이들 옆에 노트북을 켜고 학생들에게 내줄 숙제를 정리하느라 바빴다. 그래도 혼자가 아니라는 사실에 마음이 놓였다. 밤 사이에 첫째아이 학교의 통신문 사이트에는 새로운 숙제들이 올라와 있었다. 불어 텍스트 읽고 질문에 답하기와 수학 문제 풀기였다. 둘째와 셋째의 담임교사들도 메일로 숙제를 보내왔다. 둘째는 받아쓰기와 문법 연습. 셋째는 색칠놀이와 알파벳 쓰기 연습. 아이들은 선생님이 보내준 숙제라는 말에 두말 하지 않고 공부에 매달렸다. 평소에 하던 방식이기 때문에 익숙해서 거부감이 덜했을 것이다. 하지만 내가 욕심을 조금 부려서 예정에 없던, 또는 선생님이 내준 숙제 외의 문제를 내밀기라도 하면 즉시 싫은 표정을 숨기지 않는다. 마지못해 하더라도 평소보다 시간이 다섯 배쯤 더 걸린다. 아무리 닦달해도 그만큼 시간만 늘어날 뿐 문제풀이가 빨라지거나 하는 기적은 일어나지 않는다. 하긴 말을 호숫가에 데려갈 순 있어도 물을 억지로 마시게 할 수는 없는 법이다.

　　격리 생활로 바뀐 일상의 풍경 중 중요한 한 가지는 삼시세끼를 집에서 먹어야 한다는 점이다. 그게 얼마나 어려운 일인지는 제대로 설명하기 어렵다. 설명할 수 있을지는 몰라도 이해시키기는 어려울 것이다. 사먹으면 되잖아, 로는 절대 해결될 수 없는 그 끼니의 일상성은 힘겹게 정상에 올려놓는 순간 다시 제자리로 굴러 내려오는 시지프스의 바윗덩어리에 비유할 수 있다. 비유가 너무 거창한가? 아니, 결코 과하지 않다. 끼니 걱정은 하염없이 반복된다. 오늘 점심은 뭘 먹지? 저녁은, 내일 그리고 모레는, 그 다음날은? 그래서 나는 세상의 모든 엄마들, 아니 일상의 끼니를 준비하는 모든 이들을 존경한다. 그중에서도 자식 다섯에 남편과 시아버지까지 7명의 입을 해결하던 우리 엄마가 가장 존경스럽다. 학교에 도시락을 가져가던 시절이니 도대체 몇 시에 일어나서 준비를 해야 했을까 상상하면 아득해진다. 도시락을 싸는 것도 아니고 원래 학교에서 먹던 아이들이 점심 한 끼를 집에서 더 먹게 된 것 가지고 엄살을 피우는 나는 아직 갈 길이 멀다. 게다가 엄마는 온전히 혼자였지만 우린 둘이지 않은가.

오후에는 잔디를 깎았다. 겨울 동안 방치해뒀던 잔디(잔디라기보다는 무성한 잡초)가 볼썽사납게 자라 있었다. 풀이 햇빛에 적당히 말랐으면 더 좋았겠지만, 해가 나올 때까지 기다릴 수는 없는 일이었다. 뭔가를 해야 했고, 지난겨울 아마존에서 산 무선 예초기를 제대로 써먹을 기회이기도 했다. 예초기는 전체적으로 그리 무겁지 않았지만 배터리 무게 때문인지 몇 분을 돌리자 팔에 무리가 오는 게 느껴졌다. 오늘은 예초기로 가장자리를 정리했으니 내일은 잔디깎기로 중간 부분을 마무리하면 된다. 장화를 신고 나온 아이들에게 예초기로 자른 잔디를 끌어모아 정원용 손수레에 넣으라는 미션을 내렸다. 이런 날을 대비해 아이용 목장갑을 사두었는데 오늘 제대로 써먹었다. 그것도 떨이로 산 상품이어서 기쁨이 배가 됐다. 오늘의 체육활동은 이것으로 대체했다.

동네 중소형 슈퍼로 장을 보러 가기로 했다. 계란과 바게트가 필요했다. 어제는 대형 슈퍼로 가서 장을 봤는데, 통행금지 조치 후에 동네 슈퍼는 처음 가는 것이다. 자주 가던 곳이 어떤 모습으로 변했을지 궁금했다. 정부 사이트에서 출력한 증명서에 이름과 생년월일, 주소를 쓰고 날짜와 사인을 한 뒤 차에 넣어뒀다. 집에서 슈퍼까지 가는 1킬로미터 남짓 거리에서 경찰이나 군인을 만날 일은 없겠지만 왠지 이렇게 해야 정부의 조치를 정확하게 따르는 모범적인 시민이 되는 것 같았다. 슈퍼로 가는 동안 조깅하는 30대 남자가 지나갔는데 그의 오른손에 하얀 종이가 들려 있었다. 틀림없이 증명서겠지, 라는 생각이 들었다. 평소보다 한산한 슈퍼 주차장에는 차가 열 대 정도 있었다. 정문을 바리케이드로 막아 통로가 좁았다. 매장 안에 서른 명 이상이 동시에 들어가지 않도록 하기 위한 조치라고 설명했다. 줄을 서서 직원의 안내에 따라 한 명씩 들어갔다. 오후 늦은 시각이었기 때문에 나는 대기 없

출입구를
바리케이드로 막고 한 명씩 입장시키는 동네마트

이 바로 들어갔지만 오전에는 줄이 꽤 길었다고 한다. 바로 사흘 전인 지난 토요일까지도 아무렇지 않게 드나들던 곳이 정부 발표 이후 이렇게 바뀌었다. 일행이 있을 경우에는 대표 한 사람만 매장에 들어갈 수 있었다. 이 부분에 대해서는 이유를 묻지 못했다. 아마도 일행과 함께 매장 안에서 떠들면 침을 튀길 수 있어서가 아닐까, 라고 넘겨짚었다.

계란은 단 한 개도 남아 있지 않았다. 아마도 오늘 아침 길게 줄을 섰던 사람들이 싹쓸이해 갔을 것이다. 계란, 플레인 요구르트, 화장지, 버터, 밀가루, 파스타와 스파게티 등 사재기용 초인기상품을 득, 하기 위해서는 오전에 와야 가능성이 높다는 것을 깨달았다. 줄 서는 수고쯤은 해야 하는 것이다. 초인기상품의 조금 더 정확한 목록과 지정 사유에 대해서는 면밀한 조사와 연구가 필요할 듯하다. 위에 언급된 상품만을 봐서는 어떤 연관성을 찾기 어렵다. 화장지와 버터, 밀가루, 파스타 등은 오래 보관이 가능해서 이해되는데, 계란과 요구르트는 다소 의외다. 다행히 바게트는 충분히 남아 있었다. 평소보다 빵을 더 구웠는지 물었더니, 양을 늘렸다는 대답이 돌아왔다. 다들 집에 갇혀 세 끼를 챙겨 먹어야 하기 때문에 바게트 소비량이 늘어난 것이다.

아이들과 하루 종일 부대끼다 보니 신경질 내는 횟수가 잦아지는 것 같았다. 특히 사춘기 초입에 접어드는 첫째아이와 자주 부딪히고 있다. 격리 생활이 2주로 끝나지 않을 가능성이 커진 만큼 장기전에 대비해야 한다는 생각이 들었다. 그러기 위해서라도 가족과의 원만한 관계가 중요하다. 오후에는 아내와도 살짝 불꽃이 튈 뻔했다. 조금만 건드리면 폭발할지도 모르는, 모두가 다소 예민해진 상태로 보였다. 아니, 나만 그런 건가. 확실한 건 하루가 정말 길다는 사실이다.

시간 때우는 데는 육체노동이 최고

3월 18일(격리 3일째) 수요일 맑음

글을 쓰고 있는 지금, 타이핑을 하는 팔에 찌릿한 전류가 흐르는 듯 은근한 통증이 느껴진다. 아이들이 오전 공부를 하는 동안 어제 남겨둔 잔디를 깎으려 했으나 좀 더 말랐을 때 하지, 라는 아내의 말을 듣기로 했다. 원래 수요일은 오전 수업만 있는 날이어서 숙제 양도 적었다. 둘째의 숙제 리스트에는 아예 수요일 분량이 빠져 있었다. 콩세르바투아르에서 피아노를 배우는 첫째를 위해 음악이론 수업 선생님이 메일을 보냈다. '모차르트의 클라리넷 협주곡을 듣고, 악기별로 음계 따라 부르기' 지난 시간에 나눠준 악보를 보고 하면 된다고 첫째가 설명했다. 그냥 음악만 듣고 음계를 따라 부르는 줄 알고 깜짝 놀랄 뻔했다. 콩세르바투아르는 시립교육기관으로, 특히 피아노의 경우는 배우려는 학생이 많아 들어가기가 쉽지 않은데 첫째는 운이 좋아 올해부터 다니게 됐다. 시도 때도 없이 피아노 연습을 해대는 바람에 나머지 다섯 식구의 귀가 살짝 피곤한 상태다.

오전 수업만 하는 수요일 오후에는 둘째가 테니스를 치러 갔다. 물론 지금은 테니스장도 폐쇄돼서 갈 수가 없다. 수요일은 원래 리듬대로 하더라도 교실 수업보다는 바깥 활동이 많은 날인 것이다. 그래서 수요일 오후에는, 날씨가 좋으면 인근 공원에 가거나 루아르 강변 산책로를 따라 자전거를 타고, 그게 여의치 않으면 그냥 걷는다. 강변 산책로를 걸으며 보는 블루아의 외관은 썩 그럴듯하다. 봄 냄새가 짙어지는 요즘 같은 날씨에는 어김없이 루아르 강변을 갔을 텐데, 일상의 조그만 행복과도 같았던 일들을 하지 못하게 됐다. 날씨가 따뜻해지고 세상이 아름다워질수록 더더욱 코로나 바이러스가 야속하게 느껴질 것 같다. 루아르 강변을 따라 산책하는 수요일 오후의 일상이 이렇게 간절하게 될 줄 누가 상상이나 했을까.

오늘은 아침부터 해가 모습을 드러냈다. 오전 내내 햇볕에 적당히 몸을 맡긴 잔디는 점심 이후에 잔디깎기 기계를 돌려도 좋을 만큼 물기가 빠져 있었다. 어제는 가장자리를 예초기로 돌렸으니 이제 가운데 부분을 지나갈 차례다. 그런데 올 들어 처음으로 깎다 보니 잔디가 너무 자라 있었다. 조금 과장을 하면 30센티미터 넘는 풀이 있을 정도였다. 잔디깎기 기계도 예초기와 마찬가지로 충전용 배터리로 전원을 공급하기 때문에 힘이 달리는 단점이 있다. 풀이 오늘처럼 과하게 길지 않을 경우는 배터리 충전 한 번으로 정원 전체를 돌릴 수 있다. 하지만 오늘은 배터리 충전을 한 번 더 해서 두 번 돌린 뒤에야 잔디깎기를 마칠 수 있었다. 아내와 셋째는 축구공에 바람을 넣고 미니 골대를 설치했다. 이렇게 했는데 아직 오후 3시도 안 됐다.

화단 가꾸기는 아내가 가장 좋아하는 취미 중 하나다. 육체 노동을 하면서 스트레스를 푸는 매우 단순한 원리가 그 안에 들어 있다. 반대로 해석하자면 화단이나 정원이 제멋대로 방치돼 있는 것을 못 견뎌한다. 아내가 겨울을 싫어하는 여러 이유 중 하나다. 겨울에게 안녕을 고하고 봄을 맞이하는 아내만의 의식이 바로 화단 가꾸기인 셈이다. 오늘은 여러 가지로 딱 떨어지는 날이다. 월계수 묘목 세 그루가 화분에 심어져 있었는데, 습한 겨울 동안 배수가 제대로 안 돼서 잎이 노랗게 변하고 있었다. 아내는 꽤 오래전부터 저거 화단에 옮겨 심어야 하는데, 를 입에 달고 있었다. 아이들이 떨이상품으로 구입한 장갑을 끼고 아내의 화단 가꾸기를 도왔다. 옮겨 심을 곳의 땅을 파고, 화분에서 들어낸 월계수를 심은 뒤, 비료 섞인 흙을 가져와 채우고, 물을 듬

잔디를 깎고 있는 셋째

뿍 주고, 흙을 다졌다. 삽질이나 무거운 화분을 드는 일 등은 내 차지였다. 잔디를 깎고 화단의 잡초를 뽑고 새 나무들을 심으니 정원에서 봄기운이 나는 것 같았다. 개나리는 이미 풍성한 노란색을 띠었고 지난해 심었던 튤립이 어느새 봉오리를 피웠으며 체리나무도 꽃들이 톡톡 터지고 있었다.

아내와 아이들의 화단 가꾸기가 마무리될 무렵 나는 발코니로 눈을 돌렸다. 바깥 온도가 적당해지면 우리는 종종 발코니에서 식사를 하곤 한다. 겨울 동안 방치된 발코니는 불규칙한 바닥의 낮은 부분에서 고인 물 썩는 냄새가 날 정도로 지저분해져 있었다. 둘째를 불러 테라스까지 수도 호스를 당겨왔다. 세 평 정도 되는 테라스의 시커먼 바닥을 박박 닦았다. 둘째는 바닥의 색이 깨끗하게 변하는 것을 보며 놀라움을 금치 못했다. 내가 닦으면 둘째는 물로 쓸어냈다. 테라스를 끝내고 내친김에 정원으로 이어지는 계단까지 표백 작업을 했다. 청소 전과 후의 사진을 찍었어야 하는데, 라는 아쉬움과 원래 이런 색이었어, 라는 탄성을 뒤로하고 우리는 깔끔해진 테라스와 계단을 보며 뿌듯함을 만끽했다. 대신 나는 후들거리는 팔을 얻었다. 독일에 사는 처제와 통화하며 오늘 일을 이야기하는 아내에게 처제는 남는 게 시간인데 뭐 하러 힘들게 오늘 다 했대, 라고 말한다. 앗, 그런 방법도 있었군. 그러나 오늘 끝낸 덕분에 당장 내일부터 깔끔해진 정원에서 아이들과 공을 차거나 캐치볼을 할 수 있고, 깨끗한 테라스에서 아뻬로(식전주)를 마실 수도 있게 됐다는, 굳이 할 필요 없는 변명을 처제에게 해주었다.

휴교령 3일째가 되자 숙제가 점점 많아지기 시작했다. 부랴부랴 원격수업을 준비한 교사들이 진도를 놓치지 않기 위해 제 궤도를 찾는 모습이다. 특히 중학생인 첫째는 과목별로 해야 할 것들이 쌓여가고 있다. 가정통신 사이트에서 학습자료를 출력하면서, 그런 경우가 많지는 않겠지만 부모가 컴맹이거나 프린터 따위가 없는 집들은 코로나 브레이크를 어떻게 헤쳐나갈까, 하는 생각을 했다. 별 영양가 없이 스친 내 생각을 첫째아이와 나누면서 너희는 고마운 줄 알아, 같은 꼰대성 멘트는 날리지 않았다.

집에 있어도 방학은 아니잖아

3월 19일(격리 4일째) 목요일 맑음

　　우리나라에서 한참 코로나19 관련 뉴스가 쏟아질 즈음 아내가 말했다. "너무 코로나 코로나 하면 더 불안해지는 것 아닌가?" 보도의 방향성은 제쳐두더라도 TV와 신문에서 너무나 많은 뉴스를 접하게 되면 바이러스의 위험을 제대로 알고 적극적으로 대처하려는 노력보다 먼저 겁부터 나는 것 아니냐는 말이었다. 사실 그런 면이 없지는 않을 것이다. 그런데 지금 프랑스의 미디어 환경이 딱 한 달 전쯤 우리나라 상황처럼 매일 엄청난 양의 코로나19 뉴스를 쏟아내고 있다. 매일 확진자는 몇 명인지, 사망자는 몇 명이 늘었는지, 이웃나라의 현황은 어떤지 등 경마식 보도로 공포 분위기가 고조되고 있는 중이다. 이동의 자유를 제한하는 초유의 조치까지 내린 상황에서 더욱 공포 분위기를 만들어 국민들이 경각심을 갖도록 하려는 건 아닌가 싶기도 하다.

　　인기 있는 기사의 주요 내용들을 살펴보면 독자의 관심이 어디에 있는지 가늠해볼 수 있다. 아마도 현재 프랑스인의 관심은 코로나19로 사망한 사람의 수나 확진자 수가 아니라 초중고교에 다니는 학생들을 위한 재택 수업으로 보인다. 프랑스인 일반은 모르겠지만 적어도 나를 포함해 아이들을 가진 주위 친구들의 관심사는 그렇다. 자는 시간을 최대한 늘린다고 하더라도 하루에 최소한 12시간은 아이들과 함께 지내야 하는데, 문제는 지금이 방학은 아니라는 사실이다. 방학 때는 하루에 한 시간 정도 책을 펴고 공부하는 시늉만 해도 칭찬을 해줄 수 있지만 학기가 한창인 지금은 얘기가 다르다.

코로나19로 휴교령이 내려진 기간만큼 여름방학을 늦추는 방안도 이야기가 나오는 것 같지만, 휴가를 신(神)처럼 절대시 하는 프랑스인에게는 현실성이 없어 보인다. 여름휴가를 늦추지 않기 위해서라도 학부모는 아이들의 진도가 멈추는 것을 두고 볼 수 없을 것이다. 어떻게 해서든 학교에 가서 배우는 양의 70~80퍼센트 정도는 해야만 마음을 놓을 수 있을 것 같다. SNS에서 추천하는 기사들도 아이들과 하루 종일 알차게 보내는 방법, 집에서 효과적으로 공부하는 법, 재택 수업을 돕는 인터넷 사이트 소개 등이 주를 이루고 있다. 그렇게 훑고 지나가던 기사에서 힌트 하나를 얻었다. "시간표를 활용하라." 그래, 시간표를 만들자.

원래 우리집 아이들은 방학 때도 아침에 일어나면 밥을 먹고 학교에 가는 것처럼 옷을 차려 입고 논다. 토요일이나 일요일도 마찬가지. 외출 일정이 없다고 잠옷이나 트레이닝복 바람으로 하루 종일 지내는 법은 없다. 이런 생활 패턴이 휴교령으로 재택수업을 해야 하는 지금의 상황에 꽤나 유리하다고 생각했다. 경우에 맞는 옷을 입는 것은 생각보다 중요하다. 겉모습의 문제가 아니라 마음가짐의 문제이기 때문이다. 옛 어른들이 말하는 '목욕재계'도 비슷한 의미가 있는 게 아닐까. 평소와 같이 학교 가는 것처럼 옷을 입는 것은 별 문제가 아닌데, 아이들을 설득해야 하는 것은 지금이 방학이 아니라는 사실을 이해시키는 일이었다. 학교를 안 가니까 방학이 아닌 것도 아니지만, 정확히 말하면 방학은 아니다. 여름휴가를 놓칠 수 없는 어른들의 입장에서는 지금이 방학이어선 안 되는 것이다.

시간표를 그렸다. 오전 9시 30분부터 12시 30분까지 공부(중간에 15분 쉬는 시간)와 오후 2시부터 5시까지 공부(중간에 15분 쉬는 시간)가 시간표의 가장 중요한 부분이다. 평소 학교에서 공부하는 패턴과

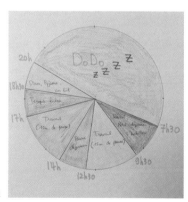

아이들의 저항이 컸던 시간표

유사하게 정했다. 첫째는 시간표 얘기가 나올 때부터 입이 저만큼 나와 있었다. 선생님이 내주는 숙제는 몇 시간이면 끝나는데 왜 6시간이나 공부를 해야 하냐고 강변하기도 했다. 나는 "너희는 지금 방학이어서 집에 있는 게 아니다."라고 말해줬다. 학교의 권위에 기대 "학교에서도 이렇게 하길 원한다."라고 덧붙였다. 결국 내 말에 따르게 될 것을 알고 있었지만 생각했던 것보다 저항이 컸다. 새로 만든 시간표는 월화목금요일에 적용되는 것이고, 수요일은 오전 공부만 하면 된다. 적극적이지 않았지만 아내도 동의했다. 아내가 적극적이지 않았던 것은 아무래도 프랑스인들에게는 방학 때 시간표를 만들어 쓰는 문화가 없어서 낯설기 때문이 아닐까 추측했다. 그럼에도 동의한 것은 격리 상황에는 효과적이라고 생각했기 때문일 것이다.

첫째 말마따나 학교에서 내준 숙제로는 저 6시간을 채우기에 턱없이 부족하다. 나머지 시간은 교사인 아내의 노하우와 각종 기사에서 추천하는 사이트의 힘을 빌리기로 했다. 마음의 여유가 좀 생기면 미술이나 공작 수업, 과학 실험 등도 해볼 생각이다. 불평을 할 때는 쥐어박고 싶도록 얄밉지만 일단 수용하고 나서는 가장 적극적으로 따라주는 게 또 첫째이기도 하다. 마냥 미워할 수 없게 만드는 첫째의 매력이다. 오늘은 오전에 학교에서 내준 숙제를 모두 마치고, 오후에는 아내가 제시한 프로그램에 따라 역사 공부를 했다. 첫째와 둘째 모두 제1차 세계대전과 관련된 30분짜리 동영상을 보고 질문에 답하는 것이었다. 동영상을 동원했으니 아이들도 싫어할 리가 없었다.

아이들이 역사 공부를 하는 동안 나는 낮잠에서 깬 막내를 데리고 장을 보고 왔다. 물론 사인이 선명한 증명서를 지참했다. 노트와 사인펜 등이 필요해서 대형마트에 갔는데, 계산대 앞에 생전 처음 그렇게 긴 줄이 서 있던 곳이 며칠이 지난 오늘은 어떻게 변했는지 눈으로 확인해보고 싶기도 했다. 사재기를 하느라 번뜩거리는 눈들이 그렇게 많았던 매장 안은 평소 목요일 낮 시간과 다르지 않게 고요하고 평화로웠다. 화장지 진열대도 무슨 일이 있었냐는 듯 꽉꽉 채워져 있었고 진열대가 빈 곳은 딱 한 군데, 파스타와 스파게티 코너였다. 밀가루와 플레인 요구르트도 듬성듬성 빈 곳이 보였지만 스파게티처럼 싹쓸이해서 진열대가 텅 빈 정도는 아니었다. 지금쯤이면 사재기가 별로 소용없다는 사실을 깨달았을지 모른다. 사재기는 불안한 감정에 압도된 사람들의 너무나 인간적인 행동이지만, 모두를 불편하게 만드는 결과를 초래한다. 그 불안을 조금만 걷어내고 초연해지려고 노력한다면 모두가 불편하지 않아도 되는 것이다. 아내의 생각도 비슷했다. "까짓 화장지 좀 없으면 어때, 손으로 닦고 물로 씻으면 되지. 지금도 그렇게 사는 사람들 많잖아." 실제로 그런 상황이 닥치면 손으로 처리할지 어쩔지는 아직 결정하지 않았지만, 불안감을 떨치기 위해서는 나쁘지 않은 정신승리법이다.

언제 다시 일할 수 있을까

아마 전날 무리한 삽질과 잔디깎기 등 정원에서의 육체노동 때문이었을 것이다. 어제는 도저히 키보드를 칠 힘이 없었다. 몸살 기운도 있어서 일기를 하루 패스하기로 했다. 처제 말이 맞았던 게 아닌가 생각이 든다. 시간도 많은데 무리해서 한꺼번에 할 게 아니라 조금씩 하면 몸도 덜 피곤하고 시간도 적절히 활용할 수 있다는 조언 말이다. 그런데 조금씩 해서는 절대 끝을 보기 어려운 게 문제다. 그나마 이정도로 정리를 했으니 아이들이 뛰어놀 수 있게 됐다. 사실 정원 일은 해도 해도 끝이 없다. 어쨌든 처제의 말은 염두에 둬야 할 조언인 것으로 정리했다.

원래 토요일 오전은 셋째의 테니스 수업이 있다. 셋째가 테니스 수업을 하는 동안 나는 첫째, 둘째와 코트 하나를 빌려서 따로 테니스를 한다. 3년째 테니스를 배우고 있는 둘째는 이제 공을 넘길 줄 아는 수준이고, 어쭙잖은 나에게서 배운 첫째는 겨우 라켓에 공을 맞추는 수준이다. 나는 아이들이 아무렇게나 친 공을 주우러 다니면서 땀을 흘린다. 이렇게라도 운동을 하며 땀을 흘릴 수 있으니 행복한 일 아닌가, 하며 위안을 한다. 얼마 전 가깝게 지내는 친구와 테니스를 친 적이 있다. 그 친구는 수준이 나보다 높았다. 나는 있는 힘을 다해 쳤는데, 그렇게 힘의 100퍼센트를 쏟아 테니스를 친 게 언제였는지 기억이 나지 않을 정도로 오랜만이었다. 땀을 주룩주룩 흘릴 수 있어서 개운했다. 다만 몸이 예전 같지 않다는 탄식이 나왔다. 모자란 실력은 발품으로 때웠다. 한 발 더 뛰면 잡을 수 있겠다 싶은 공은 무조건 뛰어가서 잡았더니, 그 친구가 "조금만 연습 더 하면 잘 치겠다."라고 칭찬해줬다. 내 심장이 터질 것 같았다는 건 몰랐을 거다.

물론 셋째의 테니스는 취소됐다. 수업만 취소된 것이 아니라 코트 자체가 폐쇄됐다. 실외코트 6면, 실내코트 5면이 있는 꽤 규모 있는 클럽인데 당분간 운영하지 않는다는 안내 메일을 지난주에 받았다. 휴교령 소식을 들었을 때 틈나는 대로 아이들이랑 테니스장에 가야겠다는 얼토당토않은 기대를 한 적이 있다. 물론 자전거 나들이를 자주 가야겠다는 생각도 했다. 꿈같은 상상이라도 할 수 있었던 그때가 그립다.

평소에는 토요일 오후에 첫째와 둘째가 종종 스카우트 활동을 한다. 첫째는 지난해부터, 둘째는 올해부터 스카우트 활동을 하고 있다. 한 달에 한 번 또는 두 번 정도 주말의 반나절 동안 팀원들을 만난다. 가끔 주말에 1박2일로 캠핑을 가는 경우가 있고, 여름방학 때는 스카우트 활동의 하이라이트라 할 수 있는 일주일짜리 캠프를 떠난다. 8세에서 12세까지가 한 그룹이고, 13~17세, 18세 이상 등 크게 세 그룹으로 나뉜다. 우리 아이들이 속한 첫번째 그룹은 아직 어려서 여름캠프를 떠나더라도 이 도시에서 30킬로미터 이내의 장소에서 최대 일주일을 머문다. 다른 그룹들은 3주 이상 해외로 떠나기도 한다. 지난해부터 시작한 첫째의 경우 1년 내내 열심히 활동했지만 한국에 다녀오느라고 정작 여름캠프엔 참가하지 못해 무척 서운해 했다. 올여름은 우리 가족이 한국행을 포기했기에 여름캠프에 대한 기대가 높다. 만약 캠프마저 취소된다면 첫째의 실망은 이루 말로 하기 어려울 것이다. 맨 위 조직은 하나여도 보이스카우트와 걸스카우트는 철저히 분리 운영된다. 정부의 격리조치 이후 스카우트 측에서도 메일을 보내 야외활동을 하지 못해 실망한 단원들을 격려하고 있다. 어제 받은 보이스카우트 측 메일에는 수수께끼 풀기와 만들기 등이 적혀 있는 12쪽짜리 프린트물이 첨부돼 있었다. 어젯밤 출력해서 아침에 둘째의 책상에 올려놓았더니 금세 뭔가를 만들어서 첫째, 셋째와 같이 놀고 있었다.

집에 TV가 없다 보니 평소에는 뉴스에 거의 신경을 쓰지 않고 사는 편이다. 파리의 노트르담 성당이 화재로 타고 있을 때에도 처가에 있던 첫째아이가 깜짝 놀라 전화를 해줘서 알게 됐다. 그러다 보니 프랑스에 살면서도 프랑스 관련 뉴스를 한국 사람들이 아는 정도만 안다. 하지만 요즘은 신경을 쓰지 않을 수 없게 됐다. 우리 동네에 확진자가 몇 명인지 정도는 알고 있어야 하지 않을까 싶어서다. 그런데 정보가 우리나라처럼 친절하지 않다. 대충 몇 명인지까지는 나오는데, 정확한 도시나 지명은 공개를 안 하는 건지 내가 못 찾는 건지 도무지 알 수가 없다. 오늘 현재 우리 데파르트망(프랑스 행정구역으로 우리나라 도(道)에 해당)의 확진자는 12명인데 도청 소재지인 우리 도시에 몇 명이 있는지는 밝히지 않는다. 그러거나 말거나 어차피 나갈 수도 없으니 크게 상관은 없다. 그저 확진자가 많지 않은 동네인 건 맞나 보다, 할 뿐이다.

24시간 아이들과 지내고 있는 부모들의 걱정거리를 덜어주는 소식이 있다. 공영방송 채널 하나를 통째로 교육에 할애하겠다는 것이다. 오락 채널인 프랑스 4는 다음주 월요일부터 프로그램 전체를 초중고교생 학습 방송 체제로 전환한다고 밝혔다. 우리로 치면 EBS쯤 되는 방송이 생기는 것이다. 휴교령이 지속되는 동안 운영될 것으로 보이는데 학교 다니는 아이가 셋이나 되는 부모 입장에서는 희소식이 아닐 수 없다. 오전 9시부터 한 시간 동안은 초등학교 저학년을 위한 불어(30분)와 수학(30분) 수업을 하고, 중학생은 오후 2시, 고등학생은 3시, 초등학교 고학년은 4시부터 한 시간씩 진행된다. 중간의 빈 시간에는 과학이나 역사 등 주제별 프로그램이 방영되는데, 현직 공립학교 교사들이 수업에 참여한다. 중학생과 고등학생에 할애된 시간이 1시간씩 총 2시간이라는 게 좀 우습긴 하지만 EBS 같은 방송국의 존재를 모르는 프랑스인이 이 정도라도 생각해냈다는 게 가상할 따름이다. 그런데 한편으로 이 희소식과 함께 드는 생각은, 방송국의 전체 프로그램을 바꿀 정도로 심각한 상황이라면 휴교령이 예상보다 더 길어지는 것 아닐까 하는 불안감이었다.

사실 나를 감싸고 있는 불안감은 코로나 바이러스에서 오는 것이 아니다. 우선 내가 사는 지역은 워낙 확진자 수가 적어서 바이러스 감염이라는 게 현실적으로 다가오지 않는다. 아직까지도 뉴스 속 이야기쯤으로 느껴지는 면이 있다. 그래서 한국에 코로나19가 급속히 확산됐을 때나 지금이나 바이러스에 대한 내 태도는 크게 다르지 않다. 다만 이동의 자유가 심각하게 제한됐다는 것이 상황의 심각성을 인지하게 할 뿐이다. 이런 격리조치가, 또 휴교령이 언제쯤 끝날 것인가에 대한 불안감이 내겐 더 현실적이다. 당장 돈벌이를 할 수가 없기 때문이다. 한국의 경우 개학 연기를 5주 넘게 했는데, 본격적으로 코로나19에 온 사회가 대응을 시작한 것이 2월이니까 사실 두 달가량 올 스톱된 것이다. 프랑스 사회가 슬슬 반응한 시점을 지난주라고 치면 비정상적인 상황이 앞으로 두 달까지 이어질 수도 있다.

휴교령 초기에 누군가는 2주 후에 다시 학교에 갈 수 있을 것이라고 했지만, 나는 회의적이었다. 휴교령 발령 시점에서 4주 후면 2주짜리 봄방학(일명 부활절 방학)이 예정돼 있다. 아마도 휴교령 4주를 지속시키고 6주 동안 학교를 닫는 효과를 보려 하지 않을까, 라는 예상을 했다. 봄방학 이후에도 휴교령을 유지한다면 한국처럼 두 달 동안 학교를 닫는 셈이다. 명목상 프리랜서인 우버 기사에게 두 달은 타격이 크다. 게다가 지난해 하반기에 아내의 월급이 살짝 올랐는데, 오른 금액보다 큰 규모의 집세 보조금이 올 초부터 끊기는 참사가 발생했다. 며칠 전에 본 월세 면제에 관한 기사를 더 찾아봤다. 그럼 그렇지, 주택용이 아니라 상점의 월세를 말하는 것이었다. 나와 같은 개인사업자를 위해 세금 납부 기한을 늦춰주겠다는 내용도 있었지만, 전혀 위로가 되지 않았다. 지금 내게 위협적인 것은 코로나19가 아니라 이동제한 조치였다. 그 불안감을 없애줄 뭔가를 찾아야 할 숙제가 생겼다.

꽃 보러 나가고 싶다

3월 22일(격리 7일째) 일요일 흐림

결국 사람들이 느끼는 것은 그게 그거여서 원하는 것도 비슷한 것일까, 아니면 나에게 중요하게 생각되는 것들이 내 눈에 크게 보여서 남도 나처럼 생각한다고 여기는 것일까. 내가 학교 다니는 아이들을 둔 부모이기 때문에 관련 기사들이 눈에 띄는 건지 정말로 원격수업을 다루는 기사들이 평소보다 많아진 건지 헷갈린다. 유사한 관점에서 이번에는 격리조치에도 불구하고 집 밖으로 '기어 나오는' 사람들의 기사가 유난히 많이 보였다. 미국 서부 해변에 젊은이들이 득실거린다는 기사나 파리 센 강변을 산책하는 사람들이 많다는 등의 기사 말이다. 아마 나도 밖에 나가고 싶다, 는 뜻일 것이다.

집에 갇혀 지낸 지 일주일쯤 되니 이제 정말로 몸이 근질근질해지는 것 같다. 미국 정부의 조치가 어떤지는 잘 모르고 나오는 거리도 먼 문제라 미국 해변에 사람이 많든 적든 신경이 안 쓰이지만 어떻게 센 강변에 파리지앵들이 많다는 것인지는 궁금했다. 기사를 자세히 읽어보니 정부가 격리조치의 예외조항으로 정한 항목을 교묘하게 이용하는 것이었다. 바로 다섯번째, '개인 운동을 위해 집에서 가까운 곳으로의 짧은 이동은 가능하다'고 한 그 조항이었다. 분명히 산책은 단체 운동이 아닌 개인 운동이고, 센 강변을 가깝다고 말할 수 있는 사람들은 셀 수 없이 많다. 물론 꼭 센 강변 인근에 살지 않더라도 너도나도 나왔을 확률이 크다. 경찰이 막으면, "아, 그래요? 그럼 집에 가지요 뭐!" 하면서 돌아갔을 수도 있다. 집에서 나와 경찰에게 저지되기까지, 다시 집으로 가는 길 모두가 훌륭한 산책이 됐을 것이다.

이런 사례가 많아지자 정부는 추가 대책을 발표했다. 개인 운동은 여전히 가능하지만 집에서 최대한 2킬로미터 이내여야 할 것, 이라는 단서를 내걸었다. 집에서 2킬로미터 이내 구간이라면 자전거를 타는 것도 상관없다고 했다. 언젠가 아이들과 자전거 타기를 시도해보면 어떨까 하는 생각이 들었다. 당장 구글맵을 켜고 집에서 루아르 강변 자전거도로까지 거리를 재보았다. 2.5킬로미터, 애매했다. 만약 경찰에게 붙잡혀 시비를 가리게 된다면 내게 그리 유리하지 않아 보였다. 이번엔 조금 더 가깝게 느껴지는 인근 숲의 자전거 길까지 거리를 재보았다. 1.7킬로미터, 예스. 바람만 잦아들면 바로 자전거를 꺼내야지.

그런데 이 도시에도 나 같은 생각을 하는 사람들이 꽤 많았던 모양이다. 이웃에 사는 친구와 오랜만에 전화통화를 한 아내가 이런 말을 했다. 루아르 강변을 산책하는 시민들을 상대로 경찰이 계도에 나섰는데, 혼자 걷는 것은 상관없지만 가족이 함께 걷는 것은 곤란하다고 했다는 것이다. 아무리 생각해도 가식적인 단속 방식이다. 가족이 산책을 나왔다면 집에서 나오기 바로 전까지 '사회적 거리두기'가 아닌 '가족적 거리제로' 상태에 있었을 텐데 말이다. 아빠 출발한 뒤 1분 후에 엄마 출발, 또 1분 후에 딸 출발, 또 1분 후에 아들 출발…… 이렇게 산책하면 괜찮은 걸까? 그게 일명 사회적 거리 두고 산책하기일까, 그 경찰관이 너무 벽창호 같은 사람이었을까. 나는 다시 고민에 빠졌다. 그러나 고민의 크기보다 나가고 싶은 충동이 더 컸다. 자전거는 속도가 있으니까 열까지만 세고 출발해도 충분할 것이다. 조만간 사회적 거리를 유지하며 온 가족이 자전거 타기에 도전하리라. 혹시 그 '벽창호' 경찰관에게 걸려서 가족 모두가 벌금을 맞는다면 135유로 곱하기 6!!! 으아아아아아~

화단에 줄을 맞춰 자라는 튤립

오늘은 바람이 세게 불어서 정원에도 나가지 못했다. 거실에서 창을 통해 살펴본 정원은 벌써 봄이 성큼 다가와 있었다. 지난주 초 정원 관리를 막 시작할 때만 해도 체리나무에 꽃이 겨우 몇 송이 피어 있었는데 오늘 보니 거의 만발했다. 아마 70퍼센트 정도 꽃이 핀 것 같았다. 큼지막한 체리나무 두 그루가 하얗게 꽃을 피우니 이미 봉오리를 터트려 봄을 맞이하고 있던 정원 곳곳의 다른 꽃들도 함께 눈에 들어왔다. 노란 개나리는 볼 때마다 한국을 생각나게 한다. 한국이라면 지금쯤 도시든 시골이든 어디서나 볼 수 있을 텐데, 프랑스에서는 그만큼 쉽게 만나지는 못하는 것 같다. 화단에 열을 맞춰 심은 짙은 주황색 튤립은 2년 전에 장인어른이 주신 것이다. 이것이 심는 꽃을 선물하는 장점이다. 꽃이 필 때마다 선물한 사람을 생각하게 되니 말이다.

튤립 옆에는 수선화가 수줍게 고개를 숙이고 있다. 한참 시들시들했는데 기어이 아내가 살려냈다. 월계수에 가려 집 안에서는 잘 보이지 않지만 야생화인 보랏빛 제비꽃이 만발했고, 라일락도 봉오리가 부풀어 올랐다. 앞마당 주차장에 있는 관상용 사과나무 꽃은 이미 한 달 전에 꽃을 피워 우리집에서 가장 먼저 겨울이 가고 있음을 알려주었다. 집 안팎에 꽃들이 얼마나 피었는지 살펴보다 보니 우리는 멈춰, 아니 갇혀 있는데 봄은 제 갈 길을 가는 것 같아 야속하다는 생각마저 들었다. 아내가 제일 좋아하는 꽃은 목련인데, 날씨가 풀리면 가장 먼저 사회적 거리를 유지하며 자전거 타기에 나서 목련꽃 구경 좀 실컷 하고 와야겠다. 물론 증명서는 필히 지참하고!

둘째 주

그러는 중에도 봄은 사방의 도시 외곽으로부터 시장까지 와 있었다.
수천 송이 장미꽃은 길가에 늘어선 상인들의 바구니 안에서 말라가고 있었으며,
그 달콤한 향기가 온 도시를 부유했다.
—알베르 카뮈, 《페스트》

코로나 덕에 브리꼴라쥬

3월 23일(격리 8일째) 월요일 맑음

'사회적 거리 두고 온 가족이 자전거 타기'는 나만의 공상으로 끝날 가능성이 커졌다. 나와 비슷한 생각을 시도하는 사람들이 많아지자 정부가 다시 칼을 꺼내든 것 같다. 더 강력한 조치를 발표한 것이다. 조치는 처음보다 수위가 조금씩 조금씩 높아지고 있다. 예를 들어 벌금만 해도 처음엔 38유로였다가 135유로로 올랐는데 이젠 상황에 따라 1500유로까지 가능해졌다. 콧바람 좀 쐬려다 거덜나게 생겼다. 오늘자 정부 발표의 주요 내용은 전통시장 폐쇄, 운동을 포함한 외출은 혼자에 한해 하루 1차례, 최대 1시간, 집에서 1킬로미터 이내로 제한 등이다. 내 계획은 집에서 2킬로미터 떨어진 곳에 최대한 오래 여럿이 가려고 했으니 재수 없이 걸렸다가 벌금 1500유로를 맞을 수도 있게 된다는 말이다. 자전거가 정 타고 싶으면 혼자 집 앞을 뱅뱅 도는 수밖에 없었다. 그나마 다행인 것은 아이들에게 자전거 타고 싶냐고 물었을 때 다들 시큰둥한 반응이었다는 사실이다. 아이들을 위해 자전거 타기를 해야 할 것처럼 얘기했지만 사실은 내가 제일 바깥공기를 쐬고 싶었던 것이다.

자전거가 아니더라도 우리집에서 바깥공기를 가장 자주 쐬는 사람은 나다. 장보는 일을 담당하고 있기 때문이다. 월요일인 오늘은 장보는 날. 일주일 만에 동네 슈퍼가 아닌 대형마트를 찾았다. 이제 프랑스인들도 바이러스와 함께 살아가기에 빠르게 적응하는 것으로 보였다. 지난주만 해도 어딘가 엉성한 대응이었는데 오늘은 체계가 잡혀가고 있는 듯한 인상을 받았다. 사람들 역시 코로나의 위력을 인정하고 경각심을 키운 것 같았다. 뉴스를 통해 매일 수백 명씩 늘어나고 있는 확진자와 사망자 수를 보며 전보다 더 불안해졌기 때문일 것이다. 쇼핑 카트의 경우 원래는 주차를 한 뒤 주차장 내에 비치된 카트를 꺼내 매장으로 향한다. 그런데 오늘은 주차장 내 카트 보관장소에 사용한 카트만 놓으라는 안내장이 붙어 있었다. 즉 다른 손님이 사용해 방역해야 할 카트니 매장 입구의 소독이 끝난 카트를 꺼내 쓰라는 것이었다. 변화는 또 있었다. 전에는 보기 힘들었던 마스크 인간들을 자주 마주치게 됐다. 그 사람들이 마스크를 어디에서 구했을까 좀 궁금해졌다. 나도 그랬지만 매장 안에 있던 손님들 역시 각자의 거리에 신경을 쓰는 게 느껴졌다.

아내와 나는 격리생활을 이용해 평소에 못했던 집안 단장에 힘을 쏟기로 했다. 첫번째 미션은 첫째 방 도배하기. 정확히 말하면 벽지 뜯어내고 페인트칠 새로 하기다. 벌써 몇 달 전부터 아내가 노래를 불렀는데 고개만 끄덕이고 행동에 옮기지 않았다. 그런데 상황이 이렇게 되니 더 이상 미루고 있을 명분이 없어졌다. 프랑스에서는 집안일을 뚝딱뚝딱해내는 것을 브리꼴라쥬라고 하는데, 이것을 잘하는 사람은 굉장한 미덕을 가진 것으로 인정받는다. 나로 말할 것 같으면 손재주가 아예 없는 것은 아니나, 많은 한국사람이 그런 것처럼 브리꼴라쥬를 해본 경험이 별로 없어서 여기 기준으로 절대 잘하는 사람은 아닌, 브리꼴라쥬에 대해서는 무색무취한 인간이다. 재료만 있으면 침대도 만들고 가구도 만드는 장인을 어려서부터 보아온 아내의 눈에는 내가 아마 걸음마하는 갓난아기 수준으로 보일 것이다.

넷째가 태어나기 전 신생아 방의 벽을 새로 칠한 경험이, 어렵게 동의한 이번 미션에서 내가 가진 유일한 무기다. 1년 전 넷째가

차고에서 잠자고 있던 페인트칠 도구들

지내게 될 방의 어둠침침한 보라색 벽지를 싹 뜯어내고 흰색으로 칠했다. 그때의 기억이 약간 쓰라리게 떠올랐다. 혼자 깨닫는다는 것은 매우 지난한 일이다. 시행착오는 딱 그만큼의 시간을 뒤로 돌려놓는다. 누군가에게 배웠다면 돌아가지 않아도 됐을 거라는 생각에 아주 잠깐이지만 분노 비슷한 감정이 치밀어 오를 때도 있다. 처음부터 다시 하는 것 외에 다른 방법이 없긴 하지만 덕분에 각인효과가 남는다. 넷째 방 벽을 새로 칠하면서 배운 것은, 본격적으로 색을 칠하기 전에 벽을 고르게 만드는 일이 페인트칠 전체 과정 중에서 가장 중요하다는 사실이었다. 첫째의 의견을 적극 수용해 이번 미션에서는 흰색과 민트색 투톤을 사용하기로 했다. 우리 도시 인근에는 브리꼴라쥬 전문 매장이 꽤 많지만 이동제한 조치 이후 모두 휴점 상태라 대형마트에서 페인트를 구입했다.

아내는 첫째와 함께 이미 어제 오후부터 벽지 뜯기에 돌입했다. 돌아올 수 없는 다리를 건넌 셈이다. 어제 둘이서 3분의 1 정도를 뜯었고, 오늘부터 내가 바통을 이어받았다. 벽지는 상당히 두꺼웠는데 중화제 섞은 물을 아무리 발라도 한 번에는 절대로 벗겨지지 않을 정도였다. 벽지가 떨어져 나간 벽 상태를 보니 왜 벽지를 사용했는지 알 것 같기도 했다. 벽이 전반적으로 고르지 않고 금이 가거나 훼손된 곳이 꽤 많았다. 그런 곳에 적절한 조치를 하지 않고 그냥 바를 경우 새로 칠한 페인트가 그대로 다시 떨어져 나오기 십상이다. 지난해 막내 방의 벽을 칠하면서 얻은 교훈이다. 아내가 그렇게 해라 해라 할 때는 하기 싫었는데 막상 벽지를 뜯다 보니 전투력 상승하는 소리가 들린다. 이번에는 처제의 조언을 참고해서 천천히 할 생각이다. 시간은 얼마든지 있으므로.

코로나 명상

3월 24일(격리 9일째) 화요일 맑음

우리집도 이젠 격리생활에 점점 익숙해져 가고 있다. 어렸을 때 방학이 오면 항상 그려왔던 실력을 살려 만든 격리생활 시간표는 아이들로부터 느슨하지만 나름의 권위를 인정받고 있다. 공부해! 라고 소리 지르며 쫓아다니지 않아도 된다는 말이다. 9시 30분이면 양치와 세수를 마친 아이들은 옷을 갈아입고 책상에 앉는다. 물론 시간을 알려주며 재촉하지 않으면 잠옷 바람으로 10시, 11시까지 플레이모빌을 가지고 놀 수도 있다. 이제 9시 30분 거의 다 됐다, 라고 알려주기만 해도 공부할 준비를 하려고 서두른다는 사실이 중요한 거다. 아내 또는 나의 역할은 그날그날 해야 할 숙제들을 주고 지켜보거나 틀린 부분을 고치고 모르는 것은 알려주는 일이다. 중학교 1학년(프랑스는 초중고교 학년제가 5-4-3이어서 우리나라로 치면 초등학교 6학년)인 첫째는 가정통신 사이트에 들어가 혼자 알아서 숙제하고, 알아서 선생님에게 메일로 보내고 한다. 내년 9월 새 학기에 초등학교 1학년이 되는 셋째는 책상으로 데려오는 것 자체가 쉽지 않다. 하루에 총 1시간 정도라도 책상에 앉혀 뭔가 쓰고 그리고 만들게 하면 성공이다.

나는 첫째 방 벽 페인트칠을 이어나갔다. 본격적으로 색을 칠하기까지는 아직 멀었고, 준비 작업을 하는 중이다. 벽지를 깨끗하게 떼어내고 울퉁불퉁한 부분이 없도록 사포로 벽을 문질렀다. 먼지를 어찌나 먹었는지 목이 칼칼하다. 첫돌을 한 달 앞둔 넷째는 일곱번째 이가 나오는 중이어서 그런지 짜증이 많이 늘었다. 낮잠도 전보다 많이 줄어서 아내와 나를 꽤 피곤하게 한다. 얼마 전부터 기어 다니기 시작해서 그냥 두면 가장 위험한 존재다. 안으면 내려주라, 내려주면 이것저것 다 만져서 놀이 공간에 넣어두면 또 안아 달라, 안으면 내려주라…… 끝이 없다. 최근에 종종 정원에서 노는 동안 우리가 발견한 것은 넷째가 풀에 닿는 걸 싫어한다는 사실이다. 매트 위에 올려두면 절대 매트 밖으로 나오지 않는다. 바람이 있어 약간 쌀쌀하긴 해도 햇살이 좋아서 오늘도 넷째와 함께 정원에 매트를 깔고 일광욕을 즐겼다. 모두들 격리생활에 각자의 방식으로 익숙해지나 보다. 조금 여유들이 생겼는지 주변 친구들과 문자나 전화로 안부를 묻는 횟수가 전보다 늘었다.

젊은 시절 아프리카에서 10년 넘게 살았던 장인어른이 가족 채팅방에 장문의 글을 하나 띄웠다. 무스타파 달레브라는 차드의 문인이 쓴 글이라고 하는데, 무릎을 탁 치게 하는 구석이 있어 번역을 해봤다.

"쪼만한 거시기에 의해 인간들이 동요하고 사회가 무너져버렸다."

코로나 바이러스라고 불리는 초미니 거시기가 전 세계를 혼란에 빠트리고 있다. 눈에 보이지도 않는 이것이 명령을 내리고 있다. 그는 세상의 모든 질서에 의문을 제기하고 뒤집어엎는다. 모든 것이 다른 방식으로 자리를 잡는다.

서양 열강이 시리아와 리비아, 예멘에서 이뤄내지 못한 것을 쪼만한 거시기가 해냈다. (정전, 휴전⋯⋯)

알제리 군대가 해내지 못한 것을 이 쪼만한 거시기가 해냈다. (하라크(알제리의 시민혁명)가 끝났다.)

야당이 해내지 못한 것을 이 쪼만한 거시기가 해냈다. (선거 기일 연기⋯⋯)

대기업들이 해내지 못한 것을 이 쪼만한 거시기가 해냈다. (세금 환급, 면제, 무이자 대출, 투자 기금, 전략적 원자재 가격의 하락⋯⋯)

노란 조끼와 노조원들이 해내지 못한 것을 이 쪼만한 거시기가 해냈다. (휘발유 값 인하, 사회보장 강화⋯⋯)

갑자기, 우리는 서구사회에서 휘발유 가격이 떨어지고 공해가 사라지며 사람들이 시간을 충분히 갖기 시작한 것을 목격하고 있다. 시간이 너무 많아 뭘 해야 할지 모를 정도다. 부모들은 자녀들을 더 알게 되고, 자녀들은 가족과 함께 집에 머무는 법을 배운다. 일이 우선순위가 아니고, 여행과 레저가 더 이상 성공한 삶의 표준이 아니게 됐다.

갑자기, 침묵 속에서 우리는 우리 스스로를 되돌아보고 연대와 취약성이라는 단어의 가치를 이해하게 된다.

갑자기, 우리는 부자나 가난한 사람 모두 같은 배에 있다는 걸 깨닫는다. 우리는 우리가 마트의 진열대를 싹쓸이하고, 병원을 가득 채우고 있다는 걸 깨닫는다. 돈이 중요하지 않다는 것도 알게 된다. 코로나 바이러스 앞에서 우리 모두는 인간이라는 같은 정체성을 지니고 있을 뿐이다.

누구도 밖에 나갈 수 없기 때문에 고급 자동차도 차고에 멈춰 서 있다는 걸 우리는 알고 있다.

지구가 상상할 수 없었던 사회적 평등을 이뤄내기 위해 단 며칠밖에 걸리지 않았다.

두려움이 모든 사람을 집어삼켰다. 가난한 사람들의 전유물이던 두려움은 이제 진영을 바꿨다. 그들에게서 떠나 부자와 권력자들로 향하고 있다. 두려움이 인간성과 휴머니즘을 상기시키고 있다.

화성에 가서 살 궁리를 하고, 영원한 삶을 위해 인간을 복제할 수 있다고 생각하는 인간의 취약성을 깨닫는 데 이번 사태가 도움이 되길 바란다. 자연의 힘 앞에 놓인 인간 지능의 한계를 깨닫는 데 도움이 되길 바란다.

확실성이 불확실성이 되고, 강함이 약함으로, 권력이 연대와 협조로 바뀌는 데 단 며칠밖에 걸리지 않았다. 아프리카가 안전한 대륙이 되는 데 며칠밖에 걸리지 않았다. 몽상이 거짓말처럼 현실이 돼버렸다. 인류는 숨과 먼지에 지나지 않는다는 것을 깨닫기까지 며칠밖에 걸리지 않았다.

우리는 누구인가? 우리는 무슨 가치가 있는가? 우리는 이 코로나 바이러스에 대항해 무엇을 할 수 있는가? 섭리를 기다리며 사실을 직시하자. 코로나 바이러스로 증명된 이 '세계화' 안에서 우리의 '휴머니티'에 대해 질문해보자. 집에 머물면서 이 유행병에 대해 명상하자. 살아 있는 우리 서로를 사랑하자!

내일은 천천히 페인트칠 작업을 하면서 코로나19가 강제로 내게 안긴 이 시간들에 대해 명상해보는 것도 나쁘지 않겠다.

장기전에 대비할 때

프랑스의 코로나19 상황은 날이 갈수록 심각해지고 있다. 정부 발표에 따르면 오늘까지 확진자 수는 2만5332명, 사망자는 1331명이다. 중환자실에 있는 환자가 3000명에 달하기 때문에 사망자는 앞으로 더욱 가파르게 늘어날 수 있다. 마크롱 대통령은 오늘 집단 감염지 중 하나인 동쪽 뮐루즈의 군 야전병원을 방문한 자리에서 군대를 투입해 감염자 치료에 총력을 기울이겠다고 발표했다. 검사 역량을 하루에 최대 2만9000명까지 늘리겠다는 약속도 했다. 이날 행정부는 교도소 미결수 6000명 석방 등 25개 중요 조치를 발표했는데, 최근 수감자가 코로나19로 사망한 데 따른 결정이었다.

나 같은 일반인이 밖에 나가기 위해 지참해야 하는 증명서 양식도 새로 내놓았다. 예외조항이 다섯 가지에서 일곱 가지로 늘었고 몇몇 조치들이 추가됐다. 법원이나 공공기관에 가야 하는 경우가 새로 포함되었고, 외출할 때 지켜야 할 사항들(집에서 1킬로미터 이내, 1시간 이내 등)이 더 구체적으로 제시되었다. 살짝 반가운 소식은 한 집에 사는 구성원일 경우 함께 외출해도 좋다는 내용이 포함된 점이다. 온 가족이 함께 산책을 해도 무방하다는 얘기였다. 또한 맨 아래 날짜를 쓰는 칸 옆에 시간도 쓰도록 했다. 그래야 1시간 이내라는 조항에 대한 단속이 가능할 테니까.

정부 발표 중에서 눈에 띄었던 것은 조만간 이동제한 조치 기한에 대해 밝히겠다고 한 점이다. 초기에 최소한 2주라고 발표했는데 곧 2주가 다 되어가는 이 시점에서 2주로 끝나는 거냐, 계속되는 거냐, 그럼 언제까지냐는 기자들의 질문이 쏟아졌던 것 같다. 신문 기사에는 전체 이동제한 조치 기간이 아마도 총 6주 정도가 될 것이라는 익명 관계자의 멘트가 있었다. 그러나 끝날 때까지는 끝난 게 아니다. 만약 정부가 곧 발표하더라도 최소 기한을 말할 뿐 최종 기한을 정하지는 않을 것이다. 확진자 추이 그래프를 가만히 들여다보면 솔직히 언제 끝이 날지 가늠하기가 어렵다. 다시 한 번 되새기는 거지만, 장기전에 대비할 필요가 있을 것 같다.

오전 내내 첫째아이 방의 페인트칠을 위한 준비작업을 하다 막혔다. 물에 개어서 울퉁불퉁한 벽을 고르게 하는 석고 가루가 충분하지 않았다. 대형마트 세 곳을 돈 뒤에야 원하는 물건을 찾았다. 세번째 마트로 가기 전에 전화로 문의를 했는데, 통화 과정에서 왜 석고 가루를 찾기가 어려운지 해답을 얻었다. 석고 가루뿐 아니라 페인트 진열대에 비어 있는 색깔들이 많았던 이유도 알게 됐다. 식료품 등 필수 품목이 아닌 경우는 운송이 원활하게 이뤄지지 않고 있었다. 그래서 재고가 다 떨어진 브리꼴라쥬 코너는 다시 채울 수가 없었던 것이다. 나는 블루아의 모든 아빠들이 격리 상황을 이용해 아이들의 방을 새로 칠하는 줄 알았다. 본의 아니게 페인트 작업은 예상보다 더 느리게 진행되고 있다. 석고가 마른 후에는 석고를 바른 곳을 다시 사포로 문질러야 하기 때문에 아직도 준비작업이 끝나지 않았다. 남는 게 시간이니까 작업 속도는 큰 문제가 되지 않는다.

집에 머물게 된 이후로 성당을 가지 못했는데 신앙의 관점 또는 정신적 생활 측면에서는 오히려 바빠졌다. 어려운 상황을 함께 헤쳐나가려는 연대의 손길이 그전보다 더 끈끈해졌기 때문일 것이다. 바이러스에 대항하기 위해 같은 시각에 함께 기도하자는 메일이나 문자가 자주 오고 있다. 스카우트 본부에서, 본당에서, 교구에서, 학교에서…… 직접 연락을 받은 것은 아니지만 심지어 바티칸에서도. 오늘은 코로나19 퇴치를 위한 9일기도의 마지막 날이자 일명 '성모영보'라 불리는 주님탄생예고대축일이다. 프랑스 주교회의는 이날 오후 7시 30분에 모든 성당이 종을 울리면 각 가정에서는 테라스에 촛불을 켜고 병자와 죽은 이들을 위해 함께 기도하자고 제안했다. 우리 가족은 저녁식사를 일찍 마치고 테라스 옆으로 가서 촛불을 켜고(첫째와 둘째가 서로 성냥을 켜겠다고 티격태격하는 과정은 필수), 9일기도의 9일째 기도를 바쳤다. 첫째가

"우리 동네에서 촛불을 켠 집은 우리집뿐"이라고 한마디 했다. 집 근처에 성당도 있지만 이슬람 사원이 두 곳이나 있으니 뭐 놀랄 일은 전혀 아니다. 하지만 성당만이 아니라 이슬람, 개신교, 유대교 어디서도 집회금지 조치를 두고 종교탄압이라는 말은 하지 않는다. 공동체는 다르지만 모두 각자의 집에서 각자의 기도를, '함께'할 것이다. 다만 지향은 하나가 아닐까. 코로나 바이러스를 이기도록 용기를, 지혜를 주소서.

투표도 못하게 될 줄이야

3월 27일(격리 12일째) 금요일 맑음

거실 벽에 붙여놓은 생활계획표에서 아이들의 하루 공부 시간은 오전 3시간, 오후 3시간 총 6시간이다. 더 정확히 말하면 오전 오후에 15분씩 배치된 쉬는 시간을 제외하고, 5시간 30분이다. 그러나 5시간 30분 내내 아이들이 집중을 해서 공부를 하기는 쉬운 일이 아니다. '공부하는 곳'으로 알고 가는 학교에서도 어려운 일을, '쉬는 곳'으로 알고 있는 집에서 강요하는 건 아이들 입장에서 정말 곤란한 일이다. 아침을 먹고 9시 30분까지 거실의 책상에 앉는 것은 이제 별 문제가 없이 이어지는 하나의 루틴이 됐다. 그러나 공부시간이 끝날 무렵인 12시 30분쯤엔 거의 중구난방이 돼 있다. 아이들의 집중력이 유지되는 시간은 매우 제한적이고, 아내나 나나 그 시간까지 군기를 잡을 수는 없는 일이다. 생각해보면 학교에서 하루에 7~8시간을 보내지만 교실에 있는 시간 내내 책으로 공부하는 것은 아니다. 쉬는 시간과 점심시간을 제외한다 하더라도 미술도 있고, 체육도 있고, 음악도 있다. 친구들과의 문자 대화창이나 SNS, 학교에서 오는 메일 등에는 아이들과 함께하면 좋을 인터넷 사이트 관련 정보가 넘쳐난다. 그 모든 걸 다 체험하자면 하루 6시간도 모자랄 것이다.

둘째의 담임에게서 거의 하루에 한 번 메일이 오는데, 오늘은 좀 특별한 숙제를 내주었다. 2주 동안 지내면서 느낀 점이나 재미있었던 일을 써보라는 작문 숙제였다. 숙제는 월요일이 오기 전까지 보내면 된다. 담임은 또한 이전에 내주었던 만들기 과제를 사진으로 찍어 보내달라고도 주문했다. 개학할 때 공작물을 가져오면 교실에 전시하겠다고도 했다. 만들기의 주제는 재활용품 이용하기였다. 한 달 전부터 둘째가 우리에게 재활용품 공작을 해야 하니 다 쓴 페트병이나 주방세제 통을 모아달라고 했었다. 종이가방에 두둑하게 모아뒀는데 둘째는 그걸 이용해서 해적선을 만들었다. 주방세제 통에 포도주 코르크를 붙이고 돛을 단 후 해적기를 그려넣었다. 오후 시간은 만들기를 하며 보냈다. 첫째와 셋째도 덩달아 뭔가를 만들었는데, 둘째가 배를 그럴듯하게 만들자 그 이상을 상상하기 어려웠는지 둘 다 배를 만들었다. 셋째는 형을 따라 비슷하게 생긴 해적선을, 첫째는 호수에 나들이 가서 탈 법한 작은 배를 만들었다. 아내와 나도 오랜만에 만들기에 집중할 수 있었다.

오전에는 첫째 방의 페인트칠을 계속했다. 오랜 준비작업을 마치고 본격적으로 색을 입혔는데, 어제에 이어 오늘은 두번째로 덧칠을 했다. 내일 세부적인 곳들을 손보고 대청소를 하면 옮겨두었던 첫째의 짐들을 다시 들여올 수 있을 것이다. 중간중간에 방이 바뀌어가는 것을 본 첫째는 매우 즐거워했다. 무엇보다 우중충한 톤의 벽지를 뜯고 환한 색으로 바꾸자 방의 채도가 전과 비교할 수 없을 정도로 밝아졌다. 딸아이는 환해서 너무 좋다고 내게 고마워했다.

엊그제 예고됐던 중대 발표가 오늘 있었다. 총리는 이동제한 조치를 최소한 4월 15일까지로 연장한다고 밝혔다. 처음 휴교령이 내려졌을 때 예상했던 것이 맞았다. 4월 11일부터 2주 동안 부활절 방학이 예정돼 있는데, 이동제한 조치가 15일에 풀린다 하더라도 아이들이 학교에 가는 날은 4월 27일이 된다. 그래서 총 6주 동안 아이들과 집에서 함께 지내게 되는 것이다. 물론 이 가설도 예정대로 4월 15일에 휴교령이 끝난다는 전제 하에서 성립된다. 더 다양한 만들기 주제와 더 다양한 교육 동영상과 더 다양한 보드게임과 더 다양한 놀이거리를 개발해야만 한다. 우리로 치면 국회방송 TV 같은 채널에서도 교육 프로

재활용품으로 만든 해적선과 나들이 배

그램을 편성했다는 뉴스가 나왔다. 아, 그런데 우리집엔 TV가 없지.

　　순진한 우리 장인어른은 어떤 이유에서든 가족이 붙어 지내야 하는 지금의 상황이 가족의 유대를 위해 유리한 점이 있을 거라고 말한 적이 있다. 항상 붙어 있으니 더 많은 이야기를 나눌 수 있어서 더 가까워지는 계기가 될 거라는 아름다운 이야기였다. 그러나 현실이 어디 그렇던가. 인터넷을 뒤적이다가 재미있는, 아니 슬픈 기사를 발견했다. 이동제한 조치 이후로 가정폭력이 늘어서 약국에 비상호출기를 설치할 것이라는 내무부장관의 발표였다. 기사에 따르면 도심 지역에서는 일주일 만에 36퍼센트, 시골 지역에서는 32퍼센트 가정폭력 사례가 늘었다고 한다. 장인어른의 예상과는 정반대 현상이 나타난 것이다. 나는 아내와 별일 없이 잘 지내고 있다. 아내가 학교 일 때문에 스트레스를 종종 받지만, 그럴 때는 접촉을 피한다. 페인트칠을 하러 첫째 방에 가거나 증명서를 지참해 장 보러 가면 된다. 내가 백수 또는 재택근무를 꽤 오래한 덕에 둘이 아무리 붙어 있어도 웬만해선 싸움으로 번지는 일이 없다.

　　증명서를 지참하지 않고 싸돌아다니다가 적발돼 경찰이 발급한 벌금의 건수가 26만 건에 달한다는 발표가 나왔다. 이동제한 조치 이후로 쌓인 건수인데, 10만 명의 경찰이 동원돼 검문한 횟수는 총 430만 건이었다. 정부 관계자는 "이동제한 조치 초기와 비교했을 때 국민들이 점점 규칙을 잘 따르고 있다."라고 말했다. 시민단체와 노조 등은

폭력적인 공권력의 남용 사례라며 강력하게 반발했다. 아내는 "벌금 모아서 바이러스 퇴치에 보태려나!"라고 한다. 연일 쏟아지는 정부의 지원 대책을 보면 그 액수가 어마어마하다. 벌금 액수는 초범이 135유로이고 재범일 경우 최대 1500유로까지 부과될 수 있다고 규정했다. 그냥 135유로라고 치면 그동안 걷은 벌금 총액은 3510만 유로(약 473억 원)인데, 바이러스 퇴치에 도움이 되더라도 아주아주 제한적일 것이다.

지난주에는 잔디깎기와 가지치기 등 정원 가꾸기를 하며 보냈고, 이번 주는 첫째아이 방의 페인트를 칠하면서 시간을 보냈는데, 다음주는 뭘 하며 보내야 할지 슬슬 고민이 시작됐다. 참, 주프랑스 한국대사관으로부터 이번 21대 총선의 재외국민 투표가 무산됐다는 안내 메일을 받았다. 기사를 찾아보니 프랑스를 포함해 모두 23개국에서 이 같은 결정이 이뤄졌다. 며칠 전부터 대사관 갈 때 아이들도 데리고 가서 텅 빈 파리 구경 좀 시켜줘야겠다, 생각했는데 무척 아쉽다. 투표근단련을 많이 했는데, 이 아쉬움을 어떻게 달래야 할지. 얼마 후 중앙선관위에서 또 다른 메일이 도착했다. 제목은 '선거사무 중지 결정 및 투표 방법 안내'. 앗, 다른 방법으로 투표가 가능하다는 말인가. 떨리는 마음으로 파일을 열어 보니, 한국에 오면 투표할 수 있다는 말이었다. 우이씨, 이번 선거에서는 그야말로 구경꾼이 되고 말았다.

격리 중인 우리를 힘들게 하는 것은

3월 28일(격리 13일째) 토요일 맑음

.

       요즘은 한국에 있는 가족, 친구들과 평소보다 더 자주 연락을 하게 된다. 묻는 건 비슷비슷하다. 지낼 만하냐, 힘들지 않느냐, 매일 뭐하고 지내느냐 등등. 내 답도 그리 특별할 게 없다. 지낼 만하다, 힘들 것 없다, 애들이랑 지지고 볶느라 더 바쁘게 지낸다 등등. 그래서 가만히 생각해 봤다. 격리생활이 힘든 이유가 뭔지. 격리돼 있긴 하지만 공식적으로 하루에 한 번(매번 증명서를 새로 쓰면 되기 때문에 두세 번 나가도 사실 알 길이 없다), 적어도 한 시간(내가 직접 증명서에 기재한 산책 출발 시간을 기준으로 하기 때문에 한 시간 정도 돌아다니다가 시간을 고치면 한 시간을 더 있을 수 있고 같은 방식으로 오래오래 산책을 할 수도 있다) 동안은 바깥공기를 얼마든지 마실 수 있고 또 장 보러 가는 것은 아무런 제약을 받지 않는다. 장을 볼 수 있으니 먹는 건 문제가 없다. 아이들 공부는 재택수업으로 대체하고 있으므로 그럭저럭 해나가고 있다. 개인사업자 신분인 나는 벌이가 제로이지만 다행스럽게 아내 월급이 있어서 역시나 응급상황이라 할 수 없다.

　　그렇다면 무엇이 격리 중인 우리를 힘들게 하는가, 곰곰이 생각해보았다. 바이러스의 습격을 받은 우리에게 특별하게 금지된 것은 다른 사람들과의 접촉이다. 가족 아닌 타인과의 관계가 단절된 것이 격리생활의 가장 큰 고통이 아닐까 생각했다. 방학과 격리생활의 차이는 무엇일까. 지난 2주 동안 우리 가족의 생활이 여느 방학 때와 다른 것은 우선, 처가에 가지 않고 여기 블루아에 남아 있다는 사실이다. 처가로 갔다면 격리의 느낌이 훨씬 덜 했을지도 모른다. 우리는 시골로 갈 수 없는 처지여서 아이들이 외할아버지, 외할머니와 함께 지낼 수 없게 됐다. 가끔 페이스타임을 통해 화상통화를 하지만 그걸 할수록 왠지 더 멀리 있는 느낌을 받는 것은 어쩔 수 없다. 또 하나 다른 점은 이 도시에 사는 다른 친구들을 전혀 만날 수 없다는 사실이다. 방학인데 우리가 시골에

출입구가 닫혀 있는 동네 공원

가지 않고 여기에 남았다면 첫째 딸은 우리를 졸라 친구를 초대하든, 친구에게서 초대를 받든 벌써 두세 번은 꾀를 내어 '베프'들과 파자마 파티를 했을 것이다. 물론 우리 부부 역시 저녁식사에 친구들을 초대하거나 초대에 응하며 소도시에서의 사교생활을 즐겼을 것이다.

격리돼 있으면서도 기본적인 생활은 가능하기 때문에 겉으로는 딱히 힘들 게 없어 보이지만 종종 우리는 어딘가 비어 있는 듯한 느낌을 받는다. 아무리 맛있는 밥을 해 먹고 산책을 하고 정원에서 뛰어놀아도 허전한 이유가 타인과의 관계 단절 때문이라는 생각이 점점 깊어졌다. 오늘 산책길에서의 단상이다. 오후 한때 22도까지 오를 정도로 햇살이 좋았다. 그냥 집에 있기 아쉬워 산책을 제안했다. 토요일이어서 아이들도 자유시간이 많은 터였다. 첫째는 나와 함께 걷고, 둘째는 킥보드를 타고, 셋째는 자전거를 타고, 넷째는 유모차에 타고, 아내는 유모차를 밀고 집을 나섰다. 새로 바뀐 증명서에는 분명히 '한 집에 사는 구성원들은 함께' 짧은 운동에 나서도 좋다는 문구가 새겨져 있었다. 텅 빈 거리는 이 도시가 아직 정상적이지 않은 상황에 놓여 있다는 걸 보여주고 있었다. 다만 산책로 아스팔트 옆에 정신없이 피어 있는 민들레와 데이지 같은 들꽃들이 따스한 햇살과 어울려, 그럼에도 불구하고 이 도시에 봄이 왔음을 알리고 있었다. 격리되기 바로 전 토요일에 데메 공원을 산책한 이후 온 가족이 나선 건 처음이다. 우리는 적당한 곳에 자리를 잡고 앉아 햇살을 즐겼다. 아이들은 공터에서 탈것을 타거나 뛰어다녔다. 30분 정도 머무는 동안 내가 본 행인은 두 명이었다. 오랜만의 외출은 평화롭고 따뜻했다. 집에서 나온 지 50분쯤 됐을 때 첫째가 말했다. "이제 집에 갈 시간이에요." 돌아오는 길에 옆집 이웃을 만났다. 최근에 이사 온 60대 후반의 커플인데 어느 토요일 티타임에 우리를 초대한 적이 있다. 둘 다 은퇴를 했고, 여기에서 멀지 않은 시골에 살다가 좀 더 활발한 은퇴 생활을 즐기기 위해 도시 안으로 집을 구해 들어왔다고 설명했다. 두 사람 모두 이민자 구호단체나 등산 동아리 같은 모임에 적극적으로 참여하는 사람들이었다.

우리는 평소처럼 볼뽀뽀를 하지 않았고, 악수도 나누지 않았다. 아내는 이들과 1미터 이상 간격을 두고 서서 한동안 이야기를 나누었다. 대화 내용은 뻔한 것이어서, 이들이 정기적으로 돌보는 손주뻘 아이의 학습에 도움이 될 인터넷 사이트에 대한 정보나 한층 따뜻해진 최근 날씨가 전부였다. 이웃이 오늘은 20도가 넘을 만큼 화사한 날씨였지만 일기예보에 나온 것처럼 며칠 내에 최저기온이 영하로 내려간다면 올해는 자칫 체리가 안 열리게 생겼다고 말했다. 아내는 재작년에 딱 그래서 우리집 정원의 체리를 하나도 못 먹었다고 맞장구를 쳤다. 지금 체리나무의 꽃들이 만발한 상태인데 만약 영하로 내려가면 열매가 안 열릴 확률이 높다. 아내가 이웃들과 하나도 중요할 것 없는 일상적 대화를 나누는 모습을 먼발치에서 보며 이런 생각이 들었다. 격리생활이 빼앗아버린 우리의 일상이 바로 저거였구나. 우리를 허전하게 한 것은 분명히 타인과의 관계였다는 생각이 커졌다. 외부와의 단절이 가장 효과적인 예방책일 수밖에 없는 코로나 바이러스의 특징이 격리생활을 더 힘들게 하고 있었다.

발코니에 나와 함께 노래를 부르는 이탈리아 시민들을 조금 이해할 수 있게 됐다. 의료진을 응원하기 위한 목적이라고 하지만 어쩌면 타인과의 관계가 끊이지 않았다는 것을 확인하고 싶은 마음이 더 간절했던 것 아닐까. 해질 무렵 한 잔의 술을 들고 발코니에 나와 옆 건물 이웃과 눈인사로 건배를 나누며 원거리 아뻬로를 즐긴다는 요즘 파리지앵들의 일상에도 마냥 비웃을 수만은 없는 애절함이 있었던 것이다. 아파트와 같은 공동주택에 살지 않아서 나는 더더욱 알 수 없던 일들이다. 오늘따라 유난히 한국에 있는 가족과 친구들이 보고 싶어졌다. 같은 도시에 사는 프랑스인 친구들도 덩달아 보고 싶어졌다. 매주 일요일 성당에서 마주치던 사람들의 안부가 궁금해졌다. 내일도 우리 가족은 인터넷 미사를 보게 되겠지. 아이들을 학교에 데려다주며 매일 마주치던 셋째 반의 조셉 아빠, 까미유 엄마, 쌍둥이 엄마, 루이즈 엄마, 자맹 선생님은 물론 둘째의 담임인 들레땅 선생님과 둘째의 단짝인 마튜, 첫째의 베프인 콩스탕스와 샤를롯이 잘 지내는지 궁금했다. 코로나 바이러스가 우리로부터 빼앗은 것은 이동제한의 자유만이 아니었다. 아무것도 아닌 것 같았던 그 일상이 파괴돼 버렸다. 언제가 될지 모르지만 다시 일상으로 되돌아가는 날, 그 일상은 예전과는 다른 의미가 돼 있을 것이다. 아무것도 아닌 것이 아닌, 너무나 소중한 일상이.

새 방이 생겨 넌 좋겠다

3월 29일(격리 14일째) 일요일 흐리고 강한 바람

거꾸로 매달아도 국방부 시계는 돌아가던 것처럼 바이러스의 습격에도 불구하고 서머타임의 시간이 돌아왔다. 오늘 0시를 기해 서머타임이 실시돼, 이제 한국과 시차가 7시간으로 줄었다. 아침에 잘 수 있는 시간이 1시간 줄어든 것이다. 처음 며칠만 지나면 자연스럽게 적응이 되겠지만 그 1시간이 왜 이리 아쉬운지. 이론적으로는 평소에 자던 시간에 잠자리에 들면 어제와 똑같은 시간을 잘 수 있는데, 그게 그렇게 되질 않는다. 원래 12시에 침대로 향하던 몸이 그 시간을 기억하고 있는 거다. 그래서 서머타임이 시작되는 초반에는 새벽 1시경에 침대로 향하게 된다. 일어나는 시간은 평소보다 1시간 빠를 테니 피곤할 수밖에. 누가 뭐래도 시간은 흘러가고 서머타임은 시작됐다. 여름맞이를 해야 하는데 몸도 마음도 오늘 날씨만큼이나 춥고 쌀쌀해서 분위기가 나질 않는다.

어찌나 바람이 세게 불어대는지 집 밖으로 한 발짝도 나가지 않았다. 격리 때문에 안 나간 게 아니다. 어제와는 딴 세상인 것 같은 날씨가 하루 종일 이어졌다. 대신 아내와 첫째 방 꾸미기를 마무리했다. 페인트칠을 하느라 바닥에 설치했던 마루 보호용 대형 비닐막을 뜯어내고 청소기로 먼지를 빨아들였다. 새로 칠한 벽은 나무랄 데 없이 깔끔했지만 마룻바닥은 세월의 흔적을 피할 수 없어 상대적으로 지저분해 보였다. 잠깐 사라졌던 아내가 뭔가를 들고 나타났다. "집주인이 놔둔 건데 사용해도 되겠지?" 아내의 양손에 딱 보기에도 안 쓴 지 10년은 돼 보이는 왁스칠용 기계와 왁스통이 들려 있었다. 왁스를 바르고 기계를 돌리자 마룻바닥 색이 되살아나기 시작했다. 냄새는 고약했지만 방은 이전과 비교불가 상태가 됐다. 내친김에 계단의 마루도 왁스칠을 했다. 기계를 돌리는 아내 옆에 쪼그려 앉아 왁스칠을 하고 있자니 어렸을 때 학교 복도에 일렬횡대로 무릎을 꿇고 양초를 문지르던 순간이 떠올랐다. 아마도 다음날 장학사가 오는 날이었겠지. 아내에게 그 이야기를 했더니 믿어지지 않는다는 표정을 짓는다. "청소 아줌마 한 명이 한 게 아니어서 다행이네." 학생들이 동원됐다는 사실보다는 대청소 이유가 장학사의 방문이었다는 점에 더 놀라워했다. 왁스칠을 하자 첫째의 방은 우리집에서 가장 시크한 장소가 되었다. 격리가 우리에게, 더 정확히는 첫째에게 준 선물이다.

벽 색깔이 밝아지고 마룻바닥 빛깔이 선명해지니 방 분위기가 한층 화사해졌다. 침대와 책상, 옷장 등을 배치했다. 벽에는 딸이 아끼는 사진과 액자들을 줄줄이 걸어두었다. 딸은 대충 정리가 마무리되자마자 도배공사로 해체했던 플레이모빌 장난감을 책장 위 원위치로 돌려놓았는데, 거기에는 딸이 창조한 세계가 들어 있다. 아빠와 엄마가 있고, 아이들이 있으며, 거실, 식당, 부엌은 물론 구성원 각자의 공간이 있다. 각 공간에는 그 공간의 주인에게 필요한 물건들이 놓여 있다. 부모의 방에는 화장대가 있고, 아이들의 방에는 책상과 킥보드 같은 소품들이 있는 식이다. 디테일을 보는 재미가 쏠쏠하다. 아이들 중에는 갓난애도 있고 중학생쯤 되는 아이도 있다. 어디서 많이 본 듯한 가족의 구성이다. 언젠가 딸은 아이패드를 빌려달라고 하더니 사진 수십 장을 찍어 스틸컷을 이용한 수동(?) 영상을 만들었다. 이어 찍은 사진들을 손가락으로 밀어 마치 영상처럼 움직이는 효과를 냈다. 어렸을 때 두꺼운 책의 구석마다 만화를 그려 빠르게 넘기면서 그림이 움직이는 것처럼 보이게 하던 생각이 났다. 영상은 아빠가 차를 타고 출근하는 장면을 찍은 것이었다. 첫째의 상상력은 가끔 나를 놀라게 한다.

우리집에서
가장 시크한 곳이 된 첫째 방

타인과의 관계 단절이 우리를 더욱 힘들게 한다는 사실을 깨닫고 나는 아내에게 틈 날 때마다 친구들과 전화를 하면서 안부를 주고받으라고 조언했다. 덕분에 아내는 오후 내내 부재중이었다. 한 번 전화를 잡으면 쉽게 끊지 못한다는 사실을 간과했다. 프랑스의 코로나19 사태가 우리나라의 경우보다 훨씬 심각하다고 느끼는 것 중 하나는 우리 주변에도 확진자가 꽤 있다는 사실이다. 카카오톡으로 언제든 연락이 가능한 한국 가족이나 친구들 가운데 위험지역에 다녀와 자가격리를 한다는 말은 들었어도 주변의 확진자를 알고 있다는 말은 들어본 적이 없다. 내 한국 인맥이 대구 경북과 인연이 없어서 더 그럴 것이다. 그런데 여기에서는 내가 아는 사람만 해도 벌써 여러 명이 확진 판정을 받았다. 아내의 외할머니 동생의 남편, 즉 이모할머니의 남편이 감염됐고, 근처에 사는 친한 친구의 아버지와 대학 동기의 아버지도 감염됐다. 이들은 대개 파리 인근에 살고 있었다. 아내는 우리 도시에 사는 친구들 주변에도 의심사례가 꽤 있다고 전했다. 나는 확진이면 확진이고, 아니면 아니지 왜 "감염된 것 같다."라고 표현하느냐고 다시 물었다. 몸이 갑자기 안 좋아지고 코로나19와 비슷한 증상을 보여 병원에 연락을 해도 숨 쉬는 게 곤란한 정도가 아니면 병원으로 오라는 말을 하지 않는다는 것이다. 검사를 받을 수 있는 조건이 너무나 까다롭다는 말이다. 심각한 상태가 돼서야 확진 판정을 받게 되니 치사율도 더 높아지는 게 아닌가 하는 합리적 의심을 해본다.

프랑스 정부는 일일 브리핑에서 확진자 전체 수와 24시간 이

내 확진자 수, 전체 사망자 수와 24시간 이내 사망자 수를 발표하는데 여기에 중증 환자의 수도 항상 덧붙인다. 눈여겨볼 점은 일일 사망자 수는 300명 안팎으로 높아지기도 낮아지기도 하는 데 반해 중증 환자의 수는 조금씩이나마 지속적으로 올라가고 있다는 사실이다. 이날 현재 확진자 수는 4만174명, 사망자 수는 2606명(오늘은 292명, 어제는 319명)이고, 중증 환자의 수는 4632명이다. 중증 환자는 사망 확률이 높은 경우다보니 앞으로 사망자가 더 늘 것이라는 점을 예측할 수 있다. 전체 중증 환자의 수가 떨어지기 시작하는 날이 바이러스 종식의 서광이 비치는 날이 아닐까.

아내 친구 중에 우리 아이들이 다니는 학교에 근무하는 친구가 있는데, 그 학교 교장은 격리조치가 언제 풀릴지는 모르겠지만 휴교령은 여름방학 때까지 이어질 것으로 예상했다고 한다. 이 일기의 끝은 격리조치의 끝이 되어야 할까, 아니면 휴교령의 끝과 함께해야 할까. 새로운 고민거리가 아닐 수 없다. 국뽕은 손발이 오그라들어서 정말 하고 싶지 않고, 웬만해선 하지 않지만 코로나19 대처에 있어서는 한국이 가장 안전한 곳이라는 점을 부정하기 어렵게 됐다. 나도 한국에 가고 싶다, 같은 생각을 전과는 다르게 요즘, 한다. 심지어 한국에 가면 지내게 될 부모님 사시는 도시는 확진자 0명이다. 아, 내겐 그림의 떡이지만 그 떡을 부모님이라도 잡술 수 있어 행복하다고 해야 할까.

셋째 주

랑베르와 마찬가지로 다른 사람들도 점점 드러나고 있는
공포 분위기에서 벗어나기 위해 더 끈질기고 더 교묘하게 노력했다.
그렇지 않으면 달아날 수 없었다.
—알베르 카뮈, 《페스트》

오랜만에 자전거를 탔다

3월 31일(격리 16일째) 화요일 맑음 그리고 바람

아내는 이제 주변 사람들과 통화를 꽤 자주 오래 한다. 아내뿐 아니라 갇혀 지내는 모든 프랑스인이 그럴 것이다. 나중에 통계가 나오겠지만 프랑스인의 전화 통화 횟수와 시간이 이전에 비해 많이 늘었을 것 같다. 미국 실리콘 밸리에서 개발된 '줌'이라는 이름의 애플리케이션이 코로나19 사태 덕에 뒤늦게 대박을 쳤다는 기사를 읽은 적이 있다. 아내가 동료 교사들과 화상회의를 하면서 이용하던 그 앱이었다. 직장에서 하는 회의뿐 아니라 멀리 사는 가족과의 동시 화상통화에도 매우 유용했다. 아내는 독일에 있는 여동생과 파리에 사는 막내이모와 셋이서 화상통화를 하곤 했다. 아들만 넷인 이모는 아내와 여동생 자매를 특별히 아낀다.

전화를 끊은 아내가 "이모 코로나 감염됐대."라고 말했다. 깜짝 놀라, 물었다. "엥? 어쩌다가?" 막내이모는 파리 외곽 동남쪽에 있는 대형병원 간호사로, 족부 전문 정형외과 외래병동에서 일한다. 이번 사태 이후로 코로나 바이러스와 직접적인 연관이 있는 일을 하는지는 모르지만 일반인보다 확진자와 접촉할 확률이 높은 건 분명한 일이다. 국립병원이라 코로나19 환자들이 많이 수용돼 있고 매일 사망자도 여러 명 나오고 있었다. 이모는 지난주에 코로나 감염 증상이 있어 병원 내 담당센터로 찾아가 문의를 했다. 발열과 기침, 호흡기 증상은 없었지만 냄새와 맛이 느껴지지 않았다고 한다. 검사를 하고 이틀 후 양성 판정이 내려졌다. 그리고 일주일 동안 병가를 내고 자가격리에 들어갔다. 검사를 마치고 결과를 기다리던 이틀 동안은 평소와 같이 생활했다고 한다. 아마도 같이 사는 남편과 두 아들(넷 중 둘은 따로 산다) 역시 감염됐을 가능성이 높다. 아내의 어깨 뒤로 얼굴을 내밀고 나도 이모와 처제에게 잠깐 인사를 했는데 이모는 예전처럼 밝았다. 사망자가 3000명을 넘어서고 있지만 대부분 70~80대 노인이어서 그런지 아직 프랑스인들은 코로나 바이러스에 대한 경각심이 그리 크지 않은 것 같다는 생각이 든다. 아니면 내가 너무 겁을 먹고 있는 것일지도 모르겠다. 완치된 사람들의 숫자가 훨씬 더 많으니 지레 겁먹을 이유가 없는 것도 사실이다.

오전에 반가운 문자를 받았다. 우체국의 프리미엄 택배 브랜드인 크로노포스트에서 "오늘 중 소포 2개 도착 예정"이라고 보내왔다. 막내누나가 소포를 보냈는데 파리-서울 항공편이 줄어든 탓에 언제 받을 수 있을지 예상조차 어렵던 차였다. 누나는 지난주에 소포가 공항에서 대기 중이래, 라고 문자를 보냈다. 프랑스의 우체국 배달이 원활하지 않다는 기사도 봤기 때문에 한 달 안에는 받기 어렵겠다, 생각하고 있었다. 이제 나도 마스크 쓰고 뽐내며 장 보러 갈 수 있게 됐다. 마트에서 마스크를 쓴 사람들을 볼 때마다 궁금했다. 저 사람들이 다 한국에 친척이 있는 건 아닐 텐데 도대체 어디서 구했을까. 이미 3주 전부터 약국이란 약국은 예외 없이 '마스크, 손세정제 품절'이라고 써 붙였던데 말이다. 한국에서 필요한 물건이 있어 소포를 부탁했는데 누나가 본인 가족 명의로 산 마스크 중 여유분을 우리에게 보내준 것이다. 한국 우체국에서 마스크의 외국 반출은 따로 포장을 해야 한다고 해서 소포 개수가 두 개가 됐다. 세심한 누나는 아이들 크기에 맞는 면 마스크까지 챙겼다. 교체용 필터도 한 주먹 있어서 잘만 사용하면 1년도 사용할 수 있을 것처럼 보였다. 당연한 일이지만 아이들은 마스크보다 마이쮸와 초코송이에 더 관심을 보였다.

며칠 전부터 차의 운전석 앞바퀴에 바람이 빠져 있는 걸 봤다. 딱히 바람을 넣을 곳이 마땅치 않아 방치하고 있었는데 아주 조금씩이지만 더 빠지고 있는 듯했다. 펑크는 아니고 실바람이 새는 것 같았다. 문제는 영업 중인 카센터를 보질 못했다는 점이다. 집에서 마트 두세 곳을 다니는 경로에 카센터가 서너 곳 있지만 모두 문을 닫았다. 대중교통이 우리나라처럼 촘촘하지 않은 프랑스의 지방도시에서는 자동차가 없으면 아무것도 할 수 없다. 그래서 카센터도 먹는 것만큼이나 중요하고 필수적인 곳 중 하나다.

앞바퀴가 내일 당장 가라앉지는 않겠지만 대비는 해야 했다. 구글 창에 블루아, 영업 중인 카센터, 코로나 바이러스라고 써보았지만 엉뚱한 답들만 해대고 있었다. 시민의 삶에 필수적인 곳이므로 비상 운영을 하는 곳이 있지 않을까 하는 생각에서, 지푸라기 잡는 심정으로 시청에 전화해봤다. 사정을 설명하고 혹시 영업 중인 카센터를 아느냐고 물었더니, "그걸 내가 어떻게 아냐?"라는 답이 돌아왔다. 그럼 그렇지. 바로 끊지 않고 몇 마디 더 우물쭈물하면서 "진짜로 몰라?" 같은 말을 늘어놓고 있는데, 누군가의 조언을 듣고는 "리들 옆에 있는 베스트 드라이드가 영업을 한다는 것 같은데?"라고 말해주었다. 거긴 내가 자주 지나다니는 길목에 있는 카센터인데 오머가며 볼 때 분명히 닫혀 있었다. 혹시 몰라 전화를 했다. 누군가 받기에 자초지종을 설명했더니, "너 어느 섹터에서 일하니?"라고 내게 물었다. 요점을 정리하자면 이동 제한 조치에도 불구하고 재택근무를 할 수 없어 차가 꼭 필요한 사람들만 정비 서비스를 받을 수 있었다. 그런 사람들에 한해 집으로 직접 출동해서 차를 고쳐준다고 한다. 카센터 입장에서의 '재택근무'라고 덧붙였다. 그 재택이 그 재택이 아니지만 딱히 뭐라고 할 말도 없었다. "그럼 나 같은 사람은 차를 못 고치냐?"라고 한마디 더 물었더니, "그걸 내가 어떻게 아냐?"라는 어디서 들어본 듯한 답이 돌아왔다. 그가 셀프로 바퀴에 바람을 넣을 수 있는 곳이 있다며 알려줬다. 정비사들의 '재택근무'가 끝나기 전까지는 바퀴가 완전히 가라앉지 않도록 주기적으로 타이어에 바람을 넣는 수밖에.

꼭 바람 빠진 바퀴 때문은 아니었지만 오늘은 차 대신 자전거를 타고 마트에 갔다. 드디어 자전거 나들이를 한 것이다. 바게트를 사러 나가는 길에 첫째와 둘째가 자전거를 타고 셋이 같이 가자고 제안을 했다. 오호, 좋은 생각. 증명서에도 같은 집에 사는 사람들은 가벼운 운동을 함께할 수 있다고 돼 있으니까. 우리는 빵집에서 바게트를 사고, 나온 김에 아시아 마트도 들러 두부 두 모를 사 왔다. 30분 정도 걸렸는데 오랜만에 셋이 나란히 자전거를 타고 가니 기분이 좋아졌다. 집으로 돌아오는 길에 있는 오르막길을 빼고는 아이들도 무척 만족스러워했다.

앙리 고모부는 훌훌 털고 일어날까

4월 1일(격리 17일째) 수요일 맑음

기어이 달이 바뀌고 말았다. 처음에 정부가 격리조치를 선언하며 최소 2주라고 발표했을 때도 4월까지 격리가 이어질 수 있다는 것쯤은 누구나 알고 있었다. 그런데도 진짜로 달이 바뀌니 기분이 묘하다. 바이러스 때문에 2020년 3월의 절반을 집에 갇혀 살았다. 오늘은 자영업자와 소규모 사업체를 위한 정부의 지원 신청이 시작되는 날이다. 개인사업자로 등록돼 있는 나도 해당이 된다. 종업원 10인 이하 사업체를 비롯한 개인사업자 가운데 지난해 3월 매출과 올해 3월 매출을 비교해 70% 이상 매출이 하락한 경우 그 차이를 정부가 메워준다는 내용이다. 최대 1500유로까지 지원해준다고 하는데 기준이 너무 높아서 신청할 수 있는 사람이 몇이나 될지 의문이다. 격리조치 전인 3월 중반까지는 다들 정상영업을 했기 때문에 70% 이상 매출이 떨어졌다는 것은 코로나 사태가 아니더라도 단단히 문제가 있는 회사라는 말이다. 당장 내 경우만 해도 전혀, 해당사항이 없다. 씁쓸한 입맛을 다시며 정부의 지원책 홍보 사이트를 닫았다.

　　언제나처럼 둘째 담임으로부터 메일이 와 있었다. 첨부파일을 열어보니 수영 수업에 대한 내용이었다. 프랑스 정부의 로고와 교육부 장관 사인이 선명하게 박혀 있는 문서에는 코로나 사태로 수영 수업을 원격으로 진행하기로 했다는 소식이 들어 있었다. 수영복과 물안경, 수영모자를 꼭 착용하고 등받이 없는 의자에 올라가 수영 연습을 하라고 했다. 연습하는 사진을 찍어 보내면 개학 후 교실 한편에 전시하겠다는 말도 덧붙였다. 만우절을 기념한 메일이었다. 가족들이 다 모인 자리에서 이 메일에 대해 이야기하며 한동안 웃었다. 아내는 "우리 둘째가 거실에서 수영 연습을 하다 허우적거리면서 물을 먹는 바람에 급하게 구조하느라 사진을 못 찍었어요."라고 답을 보내야겠다고 말했다. 아이들은 오전 내내 물고기에 색칠을 한 다음 투명테이프를 이용해 나와 아내의 등 뒤를 토닥이며 돌아다녔다. 만우절이면 프랑스에서 하는

각종 종이 공작물과
색칠로 완성한 만우절 물고기

아이들의 놀이다. 만우절을 불어로 푸아송 다브릴(Poisson d'Avril)이라고 하는데 직역하면 '4월의 물고기'이다. 그래서 만우절이면 생선 몇 마리를 등에 달고 다니는 어른들이 꼭 있게 마련이다.

학교에 가지 못하는 아이들이 시간을 보내는 가장 효과적인 방법 중 하나는 만들기다. 아내 역시 자기 반 아이들에게 잊지 않고 만들기 숙제를 내준다. 그런데 숙제로 내줄지를 결정하기 전에 나와 아이들이 종종 아내의 시험대상이 된다. 만들기의 난이도가 초등학교 5학년 수준에 적당한지, 결과물이 미적으로 완성도가 있는지 등을 미리 보기 위해서다. 첫째아이는 구석에 처박아 두었던 종이접기용 색종이 뭉치를 꺼내왔다. 숙달된 조교의 시범은 온전히 내 몫이어서, 둘째와 셋째는 자신들이 보기에 멋진 모델이 나오면 접어주세요, 여기서 어떻게 해요, 라면서 질문공세를 퍼붓는다. 그냥 처음부터 내가 만들어주면 훨씬 빠르고 속이 편할 텐데 하는 생각이 든다. 다만 그렇게 되면 '시간을 때운다'는 목적은 이루기 어려워지는 단점이 있다. 종이비행기로 희생돼 하늘로 날아가 버린 양면지는 또 얼마나 많았던가.

우리 가족이 함께 시간을 보내는 방법 가운데는 만들기 말고도 보드게임이 있다. 결혼 후 틈 날 때마다 하나씩 사 모은 보드게임이 지금은 책장의 한 층을 다 차지할 정도로 많아졌다. 특히 크리스마스 같은 경우에는 우리 가족을 위해 보드게임 하나 정도는 꼭 산다. 프랑스에서는 특히 형제가 많은 집에서 다 같이 모여 보드게임을 하는 게 일반화돼 있다. 지금도 처가에 가면 저녁식사 후에 식탁에 둘러앉아 한 두 차례 보드게임을 한 뒤 잠자리에 들곤 한다. 다만 저녁식사 후에 벌어지는 게임의 플레이어는 철저히 어른이다. 아이들은 이미 잠들어야 할 시간이므로. 아이들과는 낮 시간에 아이들과 함께할 수 있는 게임을 한다. 보드게임도 유행 같은 게 있어서, 꽂힌 게임이 있으면 한동안은 줄곧 그 게임을 하게 된다. 그러다 새 게임을 발견하면 옮겨 타서 또 한동안 그걸로 즐긴다. 보드게임은 대개의 경우 언어가 필요 없어서 한국이나 프랑스 어디에서 사든 마찬가지다. 한국에서 사는 게 가격 측면에서는 확실히 유리했다. 그래서 소포를 보내는 누나에게 최근 인터넷으로 찜해두었던 게임을 부탁했다. 엊그제 도착한 소포에는 그 보드게임도 들어 있었다. 나와 아내는 솔직히 마스크보다 보드게임을 더 기다렸다. 트리오미노스와 큐빅스 레이스. 아이들은 큐빅스 레이스를, 나와 아내는 트리오미노스를 반겼다. 트리오미노스는 네 사람까지 할 수 있어서 나와 아내, 첫째, 둘째 이렇게 넷이서 하는 중이다. 아마도 격리 생활 내내 즐기게 될 것이다.

학교 수업이 오전만 있는 수요일은 원래 리듬으로도 느슨한 날이어서 아이들에게 영화 한 편을 보여주곤 한다. 격리조치 이후에는 아예 수요일을 영화 보는 날로 정했다. 이렇게 요일을 정해놓으면, 아이들이 다른 요일에 영화를 보겠다고 할 수 없게 된다. 오늘이 격리 이후 세번째 수요일인데 둘째가 영화를 고를 차례였다. 둘째는 프랑스인들에게는 고전으로 꼽히는 만화영화 〈탱탱의 모험〉을 골랐다. 아이들이 영화를 보는 동안 넷째가 낮잠을 자주면 우리 부부는 자유시간을 즐길 수 있게 된다. 그러나 그런 행운은 아무 때나 오질 않는다. 잘 자던 아이도 영화가 시작될 무렵이나 시작되고 얼마 안 있어, 깨기 마련이다. 딱 머피의 법칙이다. 아이들이 소파에 앉아 노트북 화면으로 영화를 보는 동안 나는 넷째와 발코니에 나가 볕을 맞으며 놀았다. 바람이 잦아드니 햇살이 따가웠다. 일기예보 상으로는 최근 며칠 매섭던 꽃샘추위도 사나흘 후면 자취를 감추고 기온이 꽤 오를 것으로 보인다.

만우절이자 수요일인 오늘이 그렇게 평화로이 끝나가는 것으로 보였다. 아이들을 재우고 한숨 돌릴 무렵 아내의 아빠쪽 사촌들이 모인 채팅방에 장문의 문자가 하나 떴다. 고모의 큰아들이 쓴 글이었다. 70대 초반인 아내의 고모부가 코로나 바이러스에 감염돼 병원에 입원해 있다는 내용이었다. 상황이 꽤 심각했다. 의식이 없이 산소호흡기에 의지하고 있는 코마 상태라는 것이었다. 다행히 좋은 의료진을 만나 상태가 호전되리라 기대하고 있다면서 다음 소식이 있으면 전하겠노라고 문자를 마쳤다. 고모는 15년 전 암으로 세상을 떠났고, 고모부 혼자 파리에 살고 있다. 공직에 있었는데 은퇴한 뒤로 만날 때마다 부쩍 늙어버린 것이 한눈에 보였다. 1년에 한 번 정도 얼굴을 보는 사이여서 더욱 그렇게 느꼈을 수 있다. 오랜만에 보면 아이들은 더 커 보이고, 노인들은 더 늙어 보이는 법이니까.

그런데 신기한 것은 앙리 고모부가 한 달 전쯤 아내와 내 앞으로 엽서를 보냈다는 사실이다. 내용은 특별할 게 없었지만 엽서를 보냈다는 사실 자체가 특별한 일이었다. "너희들 생각 자주 한다. 파리 오면 연락하거라. 내 전화번호를 남기마." 나는 물론이고 아내 역시 앙리 고모부로부터 처음 받아본 엽서였다. 우리는 엽서를 잘 받았고, 파리에 가면 뵈러 가겠노라고 답장을 보냈다. 아내는 사실 엽서를 받았을 때 뭔가 안 좋은 기운을 느꼈다고 오늘 털어놓았다. 왠지 작별인사가 아닐까 했다는 것이었다. 여자의 직감 같은 걸까? 사촌들의 채팅방에 장문의 문자가 올라온 뒤 아내의 사촌들은 너나 할 것 없이 용기와 위로의 댓글을 달았다. 코로나 바이러스가 우리 주변을 점점 옥죄어 오고 있는 것 같아 기분이 썩 좋지 않은 밤이다. 아내의 직감이 틀리기를 바라는 수밖에.

이제 곧 휴가 시즌인데

4월 2일(격리 18일째) 목요일 맑음

프랑스인들의 휴가 사랑은 거의 종교 수준이다. 신념이라는 말로 바꿔도 될 것 같다. 휴가를 떠나기 위해 일한다는 말은 그냥 수사가 아니라 휴가에 대한 프랑스인의 인식을 고스란히 보여준다. 보통의 월급쟁이들이 공식적으로 사용할 수 있는 휴가는 최대 8주까지다. 이 8주를 1년 동안 잘 쪼개서 사용한다. 여름에 3주, 12월 말에 있는 크리스마스 방학에 2주, 4월 부활절 방학에 1주, 2월 말 스키 방학에 1주, 10월 말 만성절 방학에 1주 대충 이런 식이다. 학교에 다니는 아이들이 있는 부모의 경우를 말하는 것이다. 초중고교생들의 방학 기간에는 휴가지 물가가 오르기 때문에 미혼자나 아이가 없는 사람들은 이 기간을 피해서 휴가를 떠난다. 각급 학교의 방학 스케줄은 학기가 시작하는 9월 이전에 이미 공식 발표된다. 그래서 여름휴가 계획은 1년 전부터 잡을 수 있다. 다른 가족들과 함께 날짜를 조정해 휴가를 떠나려면 그 정도 시간이 필요한 것이다.

아이들이 학교에 다니기 시작하면서 나도 이런 리듬으로 살고 있는데 익숙해지니 꽤 괜찮은 시스템이라고 생각된다. 9월에 학기가 시작되고 10월 말에 2주 방학, 12월 말에 2주 방학, 2월 말에 2주 방학, 4월 말에 2주 방학, 7월 초에서 9월 초까지 두 달 동안 여름방학. 그런데 이렇게 방학 주기를 정한 데에는 꽤 과학적인 가설도 있다고 한다. 내가 직접 문서를 읽은 것은 아니기 때문에 낭설일 수도 있다. 연간 계획표를 자세히 살펴보면 평균적으로 약 7주 동안 공부하고 2주 동안 방학을 하는 패턴이라는 것을 알 수 있다. 학생들의 집중력이 7~8주를 지나면서 현저하게 떨어지기 때문에 한 번 쉬어가면 집중력을 끌어올릴 수 있다는 것이다. 집중력이 유지되는 7~8주라는 기간이 체계적 연구에 따른 과학적 결과라고 한다. 그럴듯한 이론이다. 그래서인지 방학을 할 때나 개학을 할 때 한계효용이 최대치에 가까워 보인다. 아이들은 방학을 할 때도 기뻐하고, 개학을 할 때도 기뻐한다. 이상하게 나도 그렇다.

격리조치가 길어지면 부활절 방학과 겹치게 될 것이라고 예상했고, 정부 발표 내용에 따르면 실제로 그렇게 됐다. 크리스마스 방학과 여름방학을 제외한 2주짜리 방학들은 전국이 세 지역으로 나뉘어 각각 다른 기간에 시작된다. 예를 들어 이번 부활절 방학의 경우 A존이 4월 4일부터 19일까지, B존은 4월 11일부터 26일까지, C존은 4월 18일부터 5월 3일까지로 나뉜다. 혼잡을 피하기 위한 조치인데, 우리 도시는 B존으로 A존, C존과 일주일씩 겹친다. 파리가 속한 아카데미

는 A존, 즉 오는 주말 방학이 시작된다. 평소대로라면 그렇다는 이야
기다. 오늘 에두아르 필립 총리가 TV에 나와 "며칠 내에 휴가를 떠나
는 일은 없어야 할 것"이라고 말했다. 프랑스인들의 휴가에 대한 경건
함 또는 열정을 잘 알기에 매우 간곡한 표현을 쓴 것 같다. 풀어 설명하
면, 이번 부활절 방학은 떠날 생각 하지 말라는 경고다. 그러나 격리조
치를 지키지 않겠다는 게 아니라 격리 장소가 바뀌는 것뿐이라고 항변
하는 사람들도 있을 것 같다. 말하자면 휴가지에 가서 격리를 이어간다
는 주장 말이다. 총리가 강력하게 금지하지 않고 저렇게 간곡한 표현을
쓰며 부탁한 것을 보면 아직 논란이 끝나지 않은 사안인 것 같다.

　　　　　이번 사태가 프랑스인이 그렇게 사랑하는 휴가마저 없앨 정
도로 심각하다는 점을 보여주는 단면이다. 그럼에도 불구하고 떠나는
사람이 있을 테고 붙잡혀 벌금을 무는 경우도 있을 것이다. 그런데 사
실 파리지앵 중에는 이번 부활절 방학에 떠나는 사람이 생각보다 적을
수도 있다. 3주 전 정부가 격리조치를 발표하고 발효되기까지 2~3일
동안 이미 수많은 파리지앵이 파리를 떠나 지방으로 향했기 때문이다.
대부분 도시 아파트보다는 훨씬 넓을 시골의 부모 집으로 가거나 지방
에 별장 비슷한 제2의 거처가 있는 사람들이었다. 남서쪽에 있는 보르
도 인근 한 휴양도시의 시장은 부활절 방학 때 휴가를 위해 오는 외부
인에게 숙박시설 렌털 서비스를 중지해달라고 업체들에게 호소했다.
격리조치가 이뤄지기 직전에 이미 3000~4000명이 이 도시로 와서 지
내고 있기 때문에 공공 서비스에 대한 수요가 평소보다 많아 포화상태

라는 것이다. 특히 의료서비스에 대한 불안감을 표시했다. 이 도시에는 의사가 9명뿐이다.

총리는 TV에 나와 휴가 관련 이야기 외에도 많은 말을 쏟아 냈다. 대부분의 프랑스인들이 궁금해 하는 내용들이었는데 격리조치의 해제는 전국적으로, 한날한시에, 모든 사람들에게 이뤄지지 않을 수 있다고도 발표했다. 감염이 심각한 지역은 해제를 늦출 수 있다는 말이어서, 만약 감염자 수가 기준이라면 우리 지역은 가장 먼저 해제될 수 있다. 우리 데파르트망을 포함한 프랑스 중부 6개 데파르트망이 있는 상트르-발-드-루아르 지역의 확진자 수는 이날 현재 1759명이고 사망자는 85명이다. 프랑스 전체 확진자 수가 5만9105명이고 사망자는 4503명이어서 우리 지역은 감염 정도가 심각하지 않은 편에 속한다. 또 총리는 이번 사태 이후 세금이 오르는 일은 없을 것으로 본다고 했고, 바칼로레아가 정상적으로 치러지기는 힘들 것 같다고도 했다. 언젠가는 사태가 진정되고 우리 모두 일상으로 돌아가겠지만 그 후유증은 상상 이상으로 클지 모르겠다는 생각이 들었다. 프랑스에서 최초로 완치된 남성이 어떤 매체와 인터뷰에서 한 말처럼 우리 삶은 코로나 이전과 이후로 나뉘게 될 수도 있다. 그러면 그럴수록 지금, 여기에서 최선을 다하는 것이 최고의 미덕이라는 생각을 해본다.

동네 슈퍼에서 바게트 빵을 사 오고 온 가족이 집 앞 공터로 산책을 다녀온, 평소 격리생활과 다를 바 없는 평온한 일상이었지만 왠지 모를 무게가 나를 피곤하게 한 날이었다. 짐작 가는 것은 있다. 한 달 후 돌을 맞이하는 넷째의 생활패턴이 조금씩 바뀌면서 우리 부부의 스케줄을 더 조여오고 있다. 원래 넷째는 8시 기상, 식사 후 평상복으로 갈아입고 조금 놀다가 10시경 취침, 1시간에서 1시간 30분 정도 자고 일어나 12시경 점심, 또 조금 놀다가 1시 30분경 취침, 3시쯤 일어나 놀다가 4시경 간식을 먹고 5시 30분경 취침, 6시 30분쯤 일어나 씻고 잠옷을 입은 뒤 7시 30분에 저녁 먹고 8시에 취침, 을 반복한다. 세 번의 짧은 취침과 한 번의 긴 취침, 그리고 세 번의 식사와 한 번의 간식이 하루 스케줄의 가장 중요한 뼈대다. 그런데 열흘쯤 전부터 짧은 취침 세 번 중 한 번을 빠트리는 경우가 생기기 시작했다. 오늘은 저항이 좀 심했다. 아이들이 24시간 집에 있으니 거실은 엉망진창으로 어지럽지, 빨래는 쌓여 있지, 주기적으로 청소를 하지 못해 방에 먼지는 쌓여 있지, 식사 준비는 해야 하지, 둘째와 셋째는 소리 지르면서 싸워대지…… 여기에 넷째까지 징징대고 있으니. 나 혼자 이 모든 일을 하진 않지만 부담은 아내와 나 둘이서 똑같은 무게로 끌어안는다. 누군가 몸을 살짝 피하면 그 무게가 다른 사람에게로 쏠리는 것은 당연한 이치다. 아내가 동료 교사들과 화상회의를 하느라 꽤 오래 자리를 비우는 동안 넷째가 특히 크게 울었다. 달리 생각해서 넷째도 이제 커서 총 취침시간이 전보다 줄었다는 사실을 인정해버리면 쉽게 해결될 수도 있는 피곤함이었다.

조금 특별한 일상일 뿐

4월 3일(격리 19일째) 금요일 맑음 아침에 비 조금

우체부들이 제대로 근무하는지 궁금하던 차였는데, 한국에서 소포가 도착하는 것을 보고 정확하게 알 수가 있었다. 동네 우체국 전화번호가 인터넷에 안 나와서 어디에 물어봐야 할지 알 수가 없었다. 게다가 어떤 곳에서는 우체국이 정상근무를 한다고 하고 또 어떤 사이트에서는 일부만 근무하기 때문에 정상적 배달이 어려울 것이라고 했다. 그런데 이제 알게 됐다. 역시나 모를 때는 직접 발품을 팔아 눈으로 확인하는 게 가장 빠르고 정확하다. 우체국은 근무 시간이 약간 단축되긴 했지만 정상적으로 일을 하고 있었다. 둘째아이가 친구에게 쓴 편지를 부치러 우체국에 직접 다녀왔다.

어제 둘째는 가장 친한 친구 마튜와 화상통화를 했다. 아이들에게는 선생님이나 친구와의 관계가 끊긴 것이 아니라는 사실을 알려주는 게 중요하다. 바이러스 감염이 퍼지는 걸 예방하느라 예전처럼

자유로운 외출과 활동을 안 하는 거지 그것이 외부와의 단절은 아니라는 점을, 조금 특별한 일상을 보내고 있을 뿐이라는 점을 이해시켜야 하는 것이다. 3년 과정인 유치원 마지막 학년인 셋째 담임의 경우, 부모들에게 아이들이 집에서 지내는 사진을 메일로 보내달라고 해서 작은 앨범 파일을 따로 만들어 다시 보내줬다. 셋째에게 친구들이 집에서 각자 격리생활을 즐기고(?) 있는 모습을 보여주니 무척 즐거워했다. 첫째아이는 중학생답게 삼총사로 불리는 절친 둘과 자주 통화를 했지만 둘째는 한 번도 그런 기회를 갖지 않았다.

둘째가 마튜와 통화하는 모습을 보며 전화로 멀리 있는 사람과 소통하는 것이 결코 자연스러운 일은 아니구나, 라는 생각을 했다. 우리는 지금 전혀 아무렇지 않게 전화를 사용하지만, 맨 처음 전화 통화를 했던 순간을 기억하지 못한다. 아마 나도 어제의 둘째와 같은 모습이었으리라. 둘째는 웅변을 하는 것 같았다. 일반 통화가 아니라 얼굴을 보며 하는 화상통화인데도 소리를 고래고래 지르며 본인이 하고 싶은 이야기만 했다. 소통이라기보다는 통보라고 해야 할까. 마튜 역시 마찬가지였다. 대화 내용은 대충 이랬다. "나 레고 생겼다. 닌자고 자동차다." "나 봉봉(불어로 사탕) 있어. 한국에서 소포 왔어. 과자도 있어." 둘째는 방에 가서 자신의 닌자고 레고와 마튜의 새 레고를 비교하며 통화를 이어갔다. 20분 정도 웅변을 하던 둘은 다음을 기약하며 전화를 끊었다.

아내의 권유였는지 둘째가 스스로 생각해낸 건지는 잘 모르겠지만 전화를 끊은 뒤 둘째는 마튜에게 엽서를 썼다. 프랑스에는 아직도 손편지를 쓰는 문화가 남아 있다. 우리도 낯선 휴가지에 가면 친한 친구들에게 해당 지역 풍경사진이 담긴 엽서에 글을 써서 보내곤 한다. 물론 우리 아이들도 친구들에게서 종종 엽서를 받는다. 아이들이 정성스레 쓴 손편지를 친구들과 주고받으면서, 우정은 스마트폰처럼 즉각적이고 자극적인 것이 아니라 엽서처럼 느리지만 뜻밖의 선물과도 같은 것이라는 걸 알게 되면 좋겠다. 학교에서 만날 수 없고, 서로의 집으로 놀러 갈 수도 없는 상황에서 엽서를 통해 소식을 주고받는 것은 꽤 멋진 일 같았다. 둘째는 엽서에 주소를 쓰지 않고 큰 노란 봉투에 엽서를 넣었다. 그러더니 마이쮸 아홉 개를 챙겨 와 봉투 안에 넣었다. 가장 친한 친구인 마튜와 본인이 가장 좋아하는 한국산 봉봉을 하루라도 빨리 나눠먹고 싶었던 것이다. 나는 뽁뽁이를 봉투 크기에 맞게 잘라 안에 넣었다. 둘째는 노란 포스트잇에 "형들이랑 세 개씩 먹어"라고 적었다. 마튜는 삼형제 중 막내다.

엽서 한 장이었다면 동네 우체통에 넣었을 텐데 두툼한 봉투가 됐기 때문에 우체국으로 직접 가야 했다. 우체국에서는 직원들이 문 앞을 지키고 서서 방문객의 출입을 통제했다. 한 명이 나오면 한 명을 들여보냈다. 은행 업무를 보기 위해 온 사람 한 명, 우체국 업무를 위해 온 사람 한 명, 총 두 명만 우체국 안에 들어갈 수 있었다. 둘째가 마튜에게 엽서를 쓰고 마이쮸를 함께 보내는 것을 본 첫째는 "나도 콩스탕스랑 샤를롯한테 편지 써야지."라고 말했다. 첫째는 약간 업그레이드 버전으로 본인이 직접 엽서에 그림을 그릴 계획이라고 했다.

둘째의 엽서를 보내고 집으로 돌아오는 길에 생각해보니 내가 최근에 손편지를 받은 게 언제였는지 도저히 기억이 나지 않았다. 코로나19 사태로 모든 것이 정지되기 전 파리에 사는 아내의 고모부에게서 받은 서프라이즈 엽서가 있긴 했지만 그건 내가 받은 게 아니라 우리 부부가 받은 것이다. 사실 불어로 된 손편지나 엽서는 종종 받는다. 그러나 대부분 부부 앞으로, 조금 더 정확하게 말하면 아내 앞으로 오는 우편물이지 나에게 오는 것은 아니다. 한글로 된 편지는 써본 지도 받아본 지도 너무나 오래됐다.

프랑스 대입 시험인 바칼로레아가 올해 전면 취소됐다. 대신 학교에서 평가하는 방식으로 대체하기로 했다고 교육부 장관이 발표했다. 유례없는 시기를 우리는 지나고 있다.

이 호화로운 조식 서비스

4월 4일(격리 20일째) 토요일 맑음

아침에 나를 깨우는 건 그때그때 다르다. 혼자 살았던 총각 시절에는 주로 알람 소리와 두통이 나를 잠에서 깨웠다. 과음을 한 다음날 어김없이 찾아오는 두통은 때로 알람보다 더 효과적이다. 여러 가족 구성원과 사는 지금은 혼자일 때에 비해 침대에서 나오는 길이 훨씬 다양하다. 월요일에서 금요일까지는 알람이다. 보통 첫째가 7시 20분쯤 집에서 나가기 때문에 6시 50분에 알람이 울린다. 첫째는 6시 20분에 혼자 일어나 학교 갈 준비를 하고 아침을 챙겨 먹는다. 격리생활 이후에는 알람을 7시 30분으로 늦췄다. 9시 30분까지 공부할 준비를 마치면 되니까 그 정도면 될 것 같았다. 토요일과 일요일은 알람이 울리지 않게 설정해두었다. 아침의 늦잠은 우리 부부에게 사치이지만 포기할 수 없는 위시리스트이기도 하다. 기회만 된다면 최대한 늦게 깨고 싶은 마음, 어린아이가 있는 부모라면 쉽게 이해할 것이다.

알람 설정 여부와 관계없이 넷째의 울음소리가 발동하면 아내와 나 가운데 한 명은 움직여야 한다. 6시 30분 이전에 울면 달래서 다시 재우고 그 이후라면 우유를 준비한다. 최근에는 7시 30분에서 8시 사이에 일어나기 때문에 적어도 주중에는 내가 먼저 깨는 일이 더 많다. 넷째 외에 또 다른 변수는 셋째이다. 넷째가 태어난 이후 또다시 손가락을 빠는 등 살짝 퇴행 현상을 보이는 셋째는 시도 때도 없이 우리 침대로 온다. 밤중에 오면 내가 안아서 셋째와 둘째가 함께 쓰는 방의 자기 침대로 데려다주고, 아침에 오면 그냥 셋이 대충 엉켜 있게 된다. 아침에 오는 경우 이미 잠에서 깬 상태에서 우리 침대로 온 것이기 때문에 끊임없이 꼼지락거린다. 아내와 나 둘 중 한 명이 일어나야 셋째의 시위가 멈춘다. 첫째와 둘째는 엄마, 아빠가 최대한 아침잠을 늦게까지 자고 싶어 한다는 것을 너무나 잘 알고 있다. 그래서 특별한 일이 아니라면 우리를 깨우지 않는다. 가정의 평화를 위해 어떤 게 현명한 행동이라는 걸 아는 나이인 것이다.

그러니까 토요일인 오늘은 알람이 아니라 셋째나 넷째가 나를 깨우는 것이 일반적이다. 그런데 격리 이후 세번째 맞는 토요일의 아침을 깨운 것은 둘째였다. 짜잔~ 무슨 영문인지 몰라 눈을 비비며 다시 쳐다보니 둘째가 쟁반을 들고 서 있었다. "아빠, 이것 여기에 놓을게요." 급한 듯 얼른 쟁반을 내 무릎 위에 놓고 사라졌던 둘째가 또 다른 쟁반을 들고 다시 나타났다. 이번엔 아내를 깨워 쟁반을 놓고 또다시 어디론가 사라졌다. 우리 무릎 위에 놓인 쟁반에는 정성스러운 아침식사가 준비돼 있었다. 둘째는 누나인 첫째에게 조식 서비스를 제공하기 위해 급하게 자리를 떴다. 내 앞에는 김이 모락모락 나는 커피와 사과주스, 그리고 버터와 잼을 바른 바게트 두 조각, 어제 만든 쿠키 하나가 놓여 있었다. 너무 기가 막혀서 비실비실 새어 나오는 웃음을 참을 수 없었다. 쟁반을 무릎에 제대로 두기 위해 자세를 고쳐 앉았다. 커피를 한 모금 마셨는데, 커피와 물의 양도 적당했다. 아내는 몸을 뒤척이며 쟁반을 제대로 놓으려다가 커피를 쏟고 말았다. 으~ 해피엔딩이면 재미가 없지, 라고 생각하면서 재빨리 이불 커버와 침대 커버를 벗겼지만 커피 자국은 피할 수 없었다.

부엌에 내려와 보니 역시 전쟁터였다. 식탁과 바닥 여기저기 끈적끈적한 잼 자국이 찍혀 있고, 빵 부스러기가 정신없이 널려 있었다. 하지만 5성급 호텔 조식 서비스에 비할 게 아닌 최고의 아침을 선물한 둘째에게 이 정도로 화를 낼 수는 없는 일이다. 이불솜에까지 제

수라상이 부럽지 않은 둘째의 조식 서비스

귀리 초콜릿 쿠키

대로 커피 얼룩이 져서 세탁을 위해 빨래방에 가는 수고를 하게 됐지만 예상치 못했던 선물을 받은 기쁨이 훨씬 컸다. 이것도 코로나19 덕이라고 해야 할까. 둘째는 평소에도 우리가 요리하는 모습을 유심히 보고 특히 빵이나 쿠키를 만들 때는 꼭 같이 하려고 하는 편이다. 물론 잿밥에 더 관심이 있다는 것쯤은 우리도 잘 안다. 예를 들어 초콜릿 케이크를 만들 때 제과용 주걱으로 초콜릿 반죽을 싹싹 쓸고 난 이후의 그 주걱이 바로 둘째의 타깃이다. 거기에 초콜릿이 듬뿍 묻어 있기 때문이다. 앞치마를 매고 아내의 지시에 따라 계란을 깨고, 밀가루를 붓고, 물을 나르는 요리 보조 역할을 충실히 한 뒤에야 비로소 초콜릿 반죽이 뚝뚝 떨어지는 주걱을 핥을 수 있는 자격이 주어지는 것이다.

그렇지 않아도 얼마 전 아내에게 쿠키나 케이크를 좀 자주 만들자고 제안했다. 점심과 저녁식사 중간에 간식 타임이 있는데 바게트 빵을 먹기도 하고 과자류를 먹기도 한다. 아무래도 사 먹는 것보다는 집에서 만든 쿠키가 훨씬 맛있고, 쿠키를 만드는 시간 동안 아이들과 소통하는 재미도 있어서 제안했던 것이다. 그런데 어제 오후 내가 넷째를 데리고 장 보러 갔다 온 사이에 아내가 아이들과 함께 쿠키를 만들어놓았다. 사실 몇 해 전 크리스마스 때 친척들에게 선물하려고 우리가 만들었던 귀리 초콜릿 쿠키가 며칠 전부터 내 머릿속에 맴돌았다. 상상 속에 존재하던 맛이 혀에 직접 닿는 기쁨이란. 언젠가 우리가 한국에서 살게 된다면 아내에게 쿠키를 만들어 팔자고 제안할 것이다.

꽃샘추위를 부르던 칼바람이 자취를 감추자 봄이 성큼 다가왔다. 낮 최고기온이 20도에 가깝게 올라 커피 얼룩이 선명한 이불솜을 세탁하기 위해 첫째, 둘째를 데리고 무인 세탁방에 다녀왔을 때는 차 안이 후덥지근할 정도였다. 날씨가 풀리자 우리는 거실에서 정원 쪽으로 난 유리문을 열어두었다. 여름에는 그냥 열어두고 살기 때문에, 이 문의 개폐 여부가 얼마나 따뜻한지를 가늠하는 척도 비슷한 역할을 한다. 오늘은 우리 모두가 집 안보다 정원에서 훨씬 많은 시간을 보냈다. 넷째도 제법 잔디 위를 기어다니고 있다. 트램펄린이나 탁구대 구입을 미룬 것이 이렇게 후회될 줄이야. 아내는 실외에서 아이들이 놀만한 게 있는지 찾다가 2년 전 여름에 처제로부터 받은 선물을 생각해냈다. 나무와 나무 사이를 연결하는 외줄인데 우리는 정원 구석에 있는 체리나무와 중간에 있는 사과나무에 설치했다. 어림잡아도 10미터는 돼 보여 줄이 닿을까 걱정했는데 길이가 딱 알맞았다. 아이들은 꽤 오랜 시간 동안 외줄타기를 하며 놀았다. 저녁식사를 마치고 씻으러 가기 전 그 짧은 시간에도 셋이 쪼르르 정원으로 달려 나갈 정도였다. 그런데 첫째가 급히 달려와 나를 찾았다. "아빠, 스마트폰 가지고 여기 좀 와보세요." 외줄이 설치된 체리나무에서 1미터쯤 떨어진 곳에 고슴도치가 서 있었다. 고요하던 풀밭에 인간 여섯이 나타나 시끄럽게 해대는 바람에 꽤 겁을 먹은 것 같았다. 꼼짝하지 않고 웅크린 채 멈춰 선 고슴도치의 굽은 등이 아주 약간 부풀어올랐다 다시 내려가기를 반복했다. 조심스럽게 숨을 쉬는 모습에서 불안감이 전해졌다. 고슴도치도 한결 부드러워진 봄 날씨를 즐기러 나왔겠지.

날씨는 한풀 꺾였지만 바이러스의 기세는 여전했다. 게다가 코로나19 사태 이후 요양원에서 사망한 사람들의 수가 급속하게 늘면서 사망자 수도 폭증하고 있다. 지금까지는 병원에서 사망한 사람들만 공식 발표했는데 이제 요양원 사망자도 함께 집계한다. 오늘 현재 요양원 사망자 2028명을 더해 총 사망자는 7560명에 달했다. 병원 사망자 일일 집계는 전날보다 다소 낮아졌지만 중증환자 수는 계속 올라가는 중이다. 엊그제 총리가 격리조치 해제는 같은 날, 모든 지역과 모든 사람을 대상으로 이뤄지지 않을 수 있다는 말을 한 적이 있는데, 이 말에 대한 해설로 중국처럼 지역별 봉쇄령이 내려질 수 있다는 분석이 나왔다. 이를테면 우리 지역처럼 감염자가 많지 않은 곳은 우선적으로 격리가 해제되지만 감염이 심각한 지역, 즉 파리나 그 주변 지역은 격리조치가 유지된다는 말이다. 이 말은 곧 파리를 봉쇄한다는 것과 같기 때문에 특별한 이유가 없는 한 파리와 주변 지역에 갈 수 없게 된다는 이야기다. 참, 파리의 초중고교생들은 오늘부터 2주간 부활절 방학이다. 오늘도 정부 관계자들은 TV에 나와 파리지앵들에게 떠나지 말고 집에 있으라고 경고했다.

사람이 그리울 땐

4월 5일(격리 21일째) 일요일 맑음

성당에 가지 못하는 네번째 일요일이다. 지난주에는 서머타임 핑계로 일요일 아침을 그냥 흘려보냈다. 사실 그날이 그날 같은 날들이 이어지고 있어서 지난주에 인터넷으로 미사를 했는지, 그냥 아무것도 안 했는지, 아니면 바쁘게 뭔가를 했는지 잘 기억이 나지 않는다. 불과 일주일 전인데도 그렇다. 지난주 일요일 아침이 제멋대로 흘러갔다고 확신할 수 있는 이유는 바로 이 일기 때문이다. 확인해보니 서머타임 첫날이었고, 그날의 기억이 되살아났다. 오랜 시간이 흐른 뒤에 코로나19로 전 세계가 심하게 힘든 이 시기를 추억하는 날이 올 것이다. 너무도 특별해서 다시는 겪어보지 못할 수도 있는 격리조치 기간 동안 나와 가족들이 무엇을 하며 지냈는지 일기를 보며 되돌아보게 될 거다. 첫째는 "진짜 심심해 죽는 줄 알았어.", 둘째는 "그때 종이접기 엄청 했지.", 셋째는 "넷째 넌 기억도 안 날걸."이라고 말하게 되겠지.

오늘은 인터넷 미사에 참석하기로 했다. 블루아 주교좌 대성당 페이스북에서 10시 30분에 미사가 생중계된다는 안내 메일을 받았다. 종교계, 특히 기독교계가 이번 사태를 맞이해 특별히 더 안타까워하는 이유는 부활절이라는 중요한 기간을 지나고 있기 때문이다. 부활절을 일주일 앞둔 이날을 가톨릭에서는 성지주일이라고 부른다. 특별한 날이어서 주교님이 미사를 집전했다. 주교님과 신부님 네 명, 시중을 드는 신학생 한 명이 오늘 미사의 등장인물이었다. 신자들이 앉는 의자는 텅 비어 있었는데 의자에 (아마도) 신자들의 얼굴 사진을 출력해 붙여두었다. 사진마저 없으면 혼자 독백하는 것 같아 미사를 집전하는 입장에서도 쉽지 않았을 것 같다. 미사에서 인상 깊었던 것은 맨 마지막 주임신부의 광고였다. 헌금에 대해 조심스럽게 말을 꺼냈는데, 평소처럼 교구 홈페이지에서 온라인 헌금을 할 수 있고, 마음에 두고 있던 봉사단체 같은 곳에 직접 기부하는 방법도 있다고 안내했다. 종교계가 정부지원금을 받지는 않을 테니, 대놓고 말은 못 하지만 이중삼중으로 힘든 시기를 보내고 있는 곳이 교회가 아닐까 생각해본다. 정부 조치와 달리 예배를 강행하는 한국의 일부 교회도 고민은 같을 텐데 해결하는 방식이 이렇게 다르다.

어제보다 더 따뜻한 날씨가 하루 종일 이어졌다. 아이들의 아침 일과에서 빼놓을 수 없는 것 중 하나는 나나 아내의 스마트폰을 켜 오늘의 날씨를 확인하는 일이다. 오늘도 옷 갈아입기 전에 와서 보고 가더니 첫째는 치마에 반팔 티셔츠를, 둘째와 셋째는 반바지에 반팔 티셔츠를 차려 입고 나타났다. 춥지 않겠냐는 내 말에 오늘 22도까지 올라가요, 라는 대답이 돌아왔다. 그리고 예보처럼 봄봄, 했다. 평소였으면 가까운 데메 공원이라도 갔을 텐데, 라고 생각하면서 정원에 돗자리를 펴고 넷째와 나란히 누워 햇살을 즐겼다.

　　대부분 좁은 아파트에서 사는 파리지앵들에게 오늘 같은 날씨는 고문이다. 정말 아무 데도 가기 싫고 귀찮아도 테라스 있는 집 앞 카페는 가줘야 하는 날씨인데, 그 최소한의 외출조차 허락되지 않으니. 그 고통을 이해하고도 남는다. 아니나 다를까 인터넷을 보니 산책 나온 사람들이 너무 많아서 단속하는 파리 경찰들이 바빠졌다는 내용이 눈에 띄었다. 포근해진 날씨와 부활절 방학 때문에 격리조치에 대한 사람들의 인식이 느슨해졌다는 분석이었다. 왜 통행금지가 아니고 제한이냐는 네티즌의 댓글도 있었다. 파리 공립의료원 원장은 언론 인터뷰에서 파리 길거리에 사람들이 너무 많이 돌아다닌다면서 "느슨해져선 안 된다. 각자 집에 머무시라."고 강력하게 말했다.

페이스북에서 생방송으로 진행되는
블루아 대성당 미사에 참석한 아이들

오후 한가한 시간에 아내의 전화가 울렸다. 외삼촌의 아들, 즉 아내의 사촌동생이었다. 가까운 친척이어서 친한 사이이긴 하지만 둘이 전화를 자주 하는 건 아니었다. 나는 아이들과 노느라 아내의 통화 내용을 들을 수 없었다. 얼마 후 아내와 마주쳤을 때 내가 물었다. "껑땅이 무슨 일로?" "그냥 했대. 전화번호부에 있는 사람들 모두에게 하나하나 걸어보는 거지 뭐." 사람이 그리워서 하는 행동이라고 생각하니 이해가 쉬웠다. 1시간도 지나지 않아 내게도 전화가 왔다. 파리에 사는 지인이었는데 역시나 서로의 안부를 위해 자주 통화할 정도로 친한 사이는 아니었다. 나는 파리 생활이 어떠냐고 물었다. 그는 산책이나 운동하는 차원에서 집 앞에는 종종 나가지만 평소처럼 자유롭게 여기저기 다닐 수 없어서 답답하다고 말했다. 우리집에 와본 적이 있는 그는 정원 있는 집에 사니까 좋겠다고 부러워했다. 파리의 아파트란 곳을 잘 알기에 그의 말을 100퍼센트 공감할 수 있었다. 10여 년 전 우리 가족이 살았던 파리 시내 아파트는 40평방미터가 채 안 되는 곳이었다. 둘째 돌이 되기 전에 이사를 했으니 한동안 네 식구가 산 것이다. 심지어 월세는 지금 사는 집과 비슷한 수준이었다. 만약 아이 둘을 데리고 그 아파트에 살면서 코로나19 사태를 맞이했다면? 상상도 하기 싫은 일이다. 나도 사람이 그립긴 하지만 전화번호부에서 찾아 일일이 안부전화를 할 정도는 아니다. 아니, 아이들이랑 노느라 그럴 시간이 없다.

교육부 장관이 초중고교 휴교령이 언제쯤 해제될 것인지에 대해 조심스럽게 말을 꺼냈다. 블랑케 장관은 한 라디오와의 인터뷰에서 "아무리 빨라도 5월 초쯤이 아닐까. 5월 초라기보다는 5월중에, 라고 예상해볼 수 있다."라고 두루뭉술하게 말했다. 누구나 할 수 있는 말이다. 5월 4일까지 부활절 방학이니 그 전에는 휴교령을 해제하더라도 학교에 갈 일이 없다. 연일 언론에 등장하는 총리의 말투도 비슷하다. 아마도, 라는 단어를 자주 사용하는 것이 특징이다. 국민들이 가장 궁금해하는 것이지만 바이러스 감염 상황에 따라 결정될 것이 분명하므로 그 이상을 말해줄 수 없겠지. 아내는 전국적으로 부활절 방학이 끝나는 5월 4일에 우리 지역도 학교로 돌아가지 않을까 예상했다. 나는 그보다 더 늦어질 거라고 보는 쪽이지만, 아내의 예상이 맞았으면 좋겠다.

넷째 주

도시가 점점 비어가는 두 시경은 침묵과 먼지와 햇볕과 페스트가 거리에서 만나는 시각이었다.
열기는 잿빛의 커다란 집들을 따라 끊임없이 흘러내렸다.
인구가 많고 소란스러운 이 도시에 불타는 저녁이 내려앉으면
기나긴 감금의 시간도 끝을 맺는다.
−알베르 카뮈, 《페스트》

죽일 듯 밉다가 죽도록 아끼고

4월 6일(격리 22일째) 월요일 맑음 오전에 비

간혀서 바쁘게 사느라 날짜 가는 걸 잊고 있었다. 날짜를 꼬박 꼬박 써가면서 일기도 쓰고 있는데 말이다. 오전 공부 시간이 본격적으로 시작되기도 전부터 셋째는 자신의 책상에 앉아 뭔가에 열중하고 있었다. 둘째의 프랑스어 숙제를 도와주느라 뭘 하는지 신경 쓰지 않고 있다가 궁금해서 힐끔 쳐다보니 셋째가 보여주기 싫다는 듯 얼른 가린다. 뭔가를 아는 둘째는 "누나 주려고 그림 그리는 거예요!"라고 한다. 어제는 둘째가 첫째의 선물을 만드느라 하루 종일 색종이에 파묻혀 있다시피 했다. 첫째의 생일이 가까워지고 있었다. 나는 아직 3~4일 정도 남은 줄 알았는데, 글쎄 내일이 첫째의 열한번째 생일이다. 하루는 더디게 가도 일주일은 금방 간다. 격리생활이 벌써 4주차에 접어들었다.

둘째가 첫째의 선물 준비를 시작한 것은 이틀 전부터다. 아이패드를 써도 되느냐고 묻고는 자기 방으로 사라져서 꼼지락꼼지락 하기에 조금 후에 들어가 보니 동영상을 보며 색종이 접기를 따라하고 있었다. 색종이 여섯 장을 접어 정육면체를 만들고, 총 여덟 개의 정육면체를 서로 잇는다. 큐브가 열리는 방향으로 돌려가며 면을 바꿀 수 있는 장난감이 탄생했다. 여섯 가지 색은 첫째가 좋아하는 파스텔톤 위주로 둘째가 직접 골랐다. 중간에 여덟 개의 정육면체를 잇는 과정에서 둘째가 이해하지 못하는 부분이 있어 내가 살짝 도와줬을 뿐 나머지는 스스로 다 했다. 처음엔 몰래 숨어서 첫째에게 비밀 유지를 잘하는가 싶더니 어제 오후에 다시 봤을 때는 첫째가 둘째를 코치하고 있었다. 생일날 서프라이즈 같은 것은 없게 됐다. 셋째의 그림은 몰래 그린 뒤 밀봉을 해버려 내일 첫째와 함께 확인하는 수밖에 없다. 아이들이 서로에게 선물을 해줄 수 있는 나이가 되니 가족 이벤트가 훨씬 풍성해졌다.

지난해 크리스마스에는 첫째가 용돈을 다 털어 나와 아내는 물론 두 동생 선물까지 챙겨서 우리를 뭉클하게 만들었다. 우리는 작년 초부터 아이들에게 용돈을 주기 시작했다. 우리가 만든 규칙에 따르면 일곱 살 생일이 지나면 용돈을 받을 수 있는 자격이 주어진다. 한 달에 5유로. 열 살이 되면 한 달에 7유로를 매월 초에 받는다. 그래서 첫째는 매월 7유로를, 둘째는 5유로를 받고 있다. 일곱 살을 기준으로 삼은 이유는 프랑스에서 일곱 살을 '이성의 나이(l'âge de raison)'로 부르기 때문이다. 쉽게 말해서 대화가 조금은 되는 나이라고 보는 것이다. 아이들은 또 이가 빠졌을 때 용돈을 받을 기회가 생긴다. 빠진 이를 베개 밑에 놓고 자면 생쥐가 와서 그 자리에 동전을 놓고 이를 가져간다, 고 믿는다. 그러나 우리 아이들은 생쥐가 엄마 아빠라는 사실을 너무 잘 알고 있어서, 동전이 없으면 거스름돈을 줄 테니 지폐로 줘도 된다고 말할 때도 있다. 가끔은 너무나 이성적이다.

　　남자아이들이 누나의 생일선물을 몰래 준비하는 동안 정작 우리 부부는 제대로 준비하질 못했다. 몇 가지 생각해둔 것이 있었고, 첫째가 쪽지에 적어 리스트를 주기도 했는데 구입 시기를 놓쳐버렸다. 아무래도 대형마트에서 살 수 있는 선물은 한계가 있게 마련이다. 아마존을 비롯한 인터넷 사이트도 격리조치 이후로는 정상적으로 배달을 하지 않는다. 매우 이성적인 첫째는 이런 사정을 잘 알기에 큰 기대를

첫째를 위해
둘째와 셋째가 만든 생일선물

하지 않는 눈치였다. 매도 먼저 맞는 게 낫다는 생각으로 얼마 전 첫째에게 "너 방 새로 꾸민 게 생일선물인 거 알지?"라고 말해줬다. 주로 장보러 다니는 내가 엊그제 마트의 책 코너에서 첫째에게 알맞은 초보용 그림그리기 교재를 하나 사기는 했다. 그림 그리는 것을 좋아하는 첫째는 중학생이나 되는 자기 그림이 너무 유아틱하다는 걸 깨달았는지 최근 들어 명암과 원근법을 이용해 사실적으로 그려보려고 노력하는 중이다. 그런데 그게 쉽게 될 리가 있나. 아내도 교재를 보고는 훌륭한 선물이 될 것 같다고 했다. 첫째의 마음에 들었으면 좋겠다.

두 남동생이 그렇게 누나를 생각하면서 정성스럽게 생일선물을 준비하던 모습은 어디로 사라졌는지, 오전 쉬는 시간에는 셋이 엉켜서 싸우고 난리다. 언변이 상대적으로 딸리는 셋째는 주로 괴성을 지른다. 그 날카로운 소리가 나와 아내의 인내심을 시험한다. 이젠 제법 말도 조리 있게 하는데, 속사포처럼 하고 싶은 말을 하다가 괴성을 지르면 우리 입장에서는 분노 게이지가 더 상승한다. 셋째의 괴성이 인내의 한계를 넘어 분노까지 건드리는 이유는 딱 하나, 넷째가 잠을 자고 있기 때문이다. 슬픈 예감은 틀리지 않듯, 셋째가 괴성을 지르면 거의 예외 없이 넷째가 으앙~ 하고 잠에서 깬다. 집안의 평화는 잠시 사라진다.

금세 싸웠다가 금세 보자기 망토를 둘러쓰고 중세 기사 역할 놀이를 하고 있는 저 셋을 보면서 형제자매란 정말 알다가도 모를 사이인 것 같다는 생각을 했다. 부모를 고를 수 없듯 형제자매도 고를 수 없다. 일정한 나이가 돼 독립하기 전까지는 아무리 미워도 함께 살아야 하는 특별한 사이다. 죽일 듯 싸우다가도 없으면 죽고 못 살 것처럼 붙어 다니는 애증의 관계라고 해야 할까. 터울이 짧을수록 관계가 더 복잡해지는 것 같다. 첫째(딸)와 둘째(아들)는 두 살, 둘째(아들)와 셋째(아들)는 세 살 차이다. 둘째가 태어났을 때 첫째에게는 강한 질투나 퇴행이 거의 없었는데, 셋째가 태어났을 때 둘째는 아주 심했다. 심하고 오래갔다. 첫째와 둘째의 다툼은 주로 첫째의 너무 강한 리더십 때문에 생긴다. 남자아이 둘은 셋째가 둘째의 영역을 넘보려 하다가 싸움이 나는 경우가 대부분이다. 다섯 살과 여덟 살은 아직 체격 차이가 현저하게 드러나는 시기다. 힘으로는 이길 수 없다는 것을 알기 때문에 셋째는 온 힘을 모아 괴성을 지른다. 내성적인 성격의 둘째는 두 강한 자아 사이에 끼어서 혼자만의 싸움을 하는 중이다. 그러다 그게 벽에 부딪히면 매우 독특한 자기만의 방식으로 표출한다. 요즘은 뜸해졌지만 한동안 그 방식을 감내하느라 부모인 우리가 애 많이 썼다.

이 모든 희로애락을 보며 자라는 넷째는 모두의 사랑을 받기만 하며 천진난만한 표정을 짓고 있다. 넷째가 크더라도 저 복잡한 세계에 끼는 것은 쉽지 않아 보인다. 그때는 저들이 더 커져 있을 것이므로. 나이 차이가 많이 날수록 관계가 단순해지는 것인가 보다. 셋째와 넷째는 다섯 살 차이이고, 첫째와 넷째는 열 살 차이가 난다. 아이들을 보면서 나의 형제자매를 떠올렸다. 5남매 중 막내인 나는 얼마나 많은 사랑을 받았을 것인가. 형 누나들과 싸운 것은 물론이고 혼난 기억도 없다. 내 자아가 생겼을 때 형과 누나들은 이미 자신들의 세계에서 고군분투하고 있을 나이여서 어린 나에게 신경 쓸 여력이 없었을 것이다. 그저 사랑하는 어린 막내동생이었을 뿐. 그렇게 받은 사랑을 나는 아이들에게 돌려주려고 노력하는 중이다. 남녀 간의 사랑이 아닌 가족 간의 사랑은 그것이 자식이든 형제이든 대상만 다를 뿐 작동하는 방식은 같은 게 아닐까. 우리의 사랑을 받은 내 아이들도 오래오래 서로 사랑하며 지냈으면 하는 간절한 바람이다.

앙리 고모부의 막내아들로부터 문자가 왔다. 상태가 약간 호전돼 투약을 중지하고 무의식 상태에서 깨어나는 단계로 들어섰다고 했다. 아직 갈 길이 멀지만 희망은 있다는 내용이었다. 어서 더 좋은 소식을 들을 수 있기를 기대해본다.

갇혀서 할 수 있는 것들

4월 7일(격리 23일째) 화요일 한때 흐리고 맑음

첫째의 열한번째 생일 아침이 밝았다. 보통은 아내가 직접 케이크를 만드는데 원격수업 때문에 평소보다 더 바빠 신경 쓸 여력이 없었다. 나는 다른 식구들이 내려오기 전에 케이크를 사오려고 빵집으로 향했다. 증명서를 지참하는 것도 잊지 않았다. 어제부터 디지털 증명서를 사용할 수 있게 됐다. 그전에는 매번 종이 증명서의 날짜와 시간을 고쳐서 사용하느라 수정액으로 지운 흔적이 덕지덕지 남아 있다. 이제 그런 수고를 하지 않아도 된다. 별 것도 아닌 디지털 증명서 하나 새로 도입하는 데 3주 넘게 걸렸다. 대단한 프랑스인들이 아닐 수 없다.

부엌 식탁에 둘러앉아 케이크에 초를 꽂고 생일 축하 노래를 불렀다. 셋째는 파란 하늘에 큼지막한 무지개가 구름에 걸쳐 있는 그림을 선물했다. 둘째의 도움으로 전체적인 완성도가 높아지긴 했지만 예전에 비하면 셋째의 그림 실력도 많이 늘었다. 우리가 고른 생일 선물을 받아 들고 첫째는 만족스러운 반응을 보였다. 둘째는 나도 빌려주라, 며 벌써 찜을 했다. 소박한 생일 축하를 마치고 우리 모두는 각자의 일상을 시작했다. 첫째에게 살짝 미안한 생각이 들기도 했지만, 평소에도 생일이라고 뭐 대단한 것을 선물한 적은 없었기 때문에 첫째도 특별히 서운해 하는 것 같지는 않았다. 우연히 1년 전 오늘 사진을 보게 됐는데 그때는 케이크 옆에 선물꾸러미가 서너 개 놓여 있었다. 그게 다 뭐였는지는 기억나지 않았다. 갇혀 있어서 못하는 게 있는 반면, 갇혀 있어서 할 수 있는 것도 있다는 걸 오늘 알게 됐다.

첫째의 생일을 가장 먼저 축하해준 것은 뽕도라에 있는 외할머니였다. 초 열한 개를 꽂은 생일 케이크와 첫째 사진을 가족 채팅방에 올렸더니 곧바로 전화가 울렸다. 한 시간쯤 후에는 서울에 있는 첫째의 친구에게 연락이 왔다. 우리 가족이 서울에 살 때 친하게 되었는데 지금도 연락을 하며 지낸다. 둘은 꽤 오랫동안 통화했다. 다음은 지금 다니는 학교의 삼총사 친구 두 명이었다. 하나씩 차례로 전화가 와서 생일을 축하해줬다. 첫째는 파리에 사는 아내의 막내이모에게도 축하인사를 받았다. 이모는 코로나19가 완치돼 다시 병원에 출근하고 있다. 스페인 마드리드에 사는 아내의 작은고모가 전화를 해 첫째에게 축하를 전했다. 작은고모와 고모부 역시 격리된 상태로 지내고 있었다. 프랑스보다 훨씬 더 강력한 이동제한령이 시행 중이라고 말했다. 장 보러 가는 것도 금지돼 있고, 쓰레기를 버리러 잠깐 단지 내에 나갈 때도 마스크 착용이 필수라고 했다.

스페인 고모부는 내가 아내와 결혼해서 장인 측 가족들을 처음 만났을 때 나를 특별히 따뜻하게 맞아줬던 사람이다. 나에게 다가와 어깨동무를 하더니 "이 집안에서 내가 유일한 외국인이었는데, 네가 나타나서 너무 반갑다. 환영해."라고 말해줬다. 장인은 9남매 중 다섯번째이다. 내가 가족들을 모두 만난 것은 10여 년 전, 지금은 돌아가신 할머니의 구순 잔치였는데 거기 모인 가족 구성원의 수가 70명이 넘었다. 새롭게 가족이 된 나를 위해 모든 사람이 이름표를 가슴에 달고, 벽에는 가계도를 그려서 누가 누구인지 알 수 있게 배려해줬다.

다음은 스위스 제네바에 살고 있는 첫째의 대부에게서 전화가 왔다. 한국에서는 가톨릭교회에서 세례식을 할 때 여자는 대모만, 남자는 대부만 있는데 프랑스에서는 여자든 남자든 대모와 대부가 다 있다. 첫째의 대부는 파리에 사는 막내이모의 큰아들 로맹이다. 아직 결혼하지 않은 젊은 남자들이 그렇듯 로맹도 대녀인 첫째에게 세심하게 신경써주는 스타일이 아니어서 우리는 오늘 축하전화에 더욱 놀랐다. 아마 엄마인 막내이모가 로맹에게 전화하라고 부추겼을 가능성이 크다. 그렇다 하더라도 고마운 일이었다. 나도 덕분에 로맹과 통화할 수 있어 좋았다. 몇 달 전 여자친구랑 우리집에 다녀간 적이 있는데 그 친구와 내년 9월에 결혼하기로 했다는 따끈따끈한 소식도 전해줬다.

아내 외삼촌 가족은 단체로 짧은 비디오를 찍어 보냈다. 그들은 첫째를 위해 생일 축하 노래를 불러줬다. 한국에 있는 첫째 또래 사촌들에게서도 축하 사진이 도착했다. 불어로 쓴 생일축하 피켓을 들고 조카들이 환하게 웃고 있었다. 저녁을 먹은 뒤에는 독일의 처제 식구가 전화를 했다. 곧 세 살이 되는 루이즈가 독일어 억양이 섞인 불어로 생일 축하 노래를 불렀다. 첫째가 맞은 열한 번의 생일 중 오늘처럼 많은 축하를 받은 적은 없었을 것이다. 다 격리 덕이다. 아마도 첫째에게는 다른 어떤 생일보다 더 오래 기억에 남는 날이 될 것 같다. 격리생활이 꼭 단점만 있는 것은 아니었다.

그런 사실이 다른 방법으로도 확인됐다. 아내가 반 아이들에게 작문 주제로 '격리생활의 장점과 단점'을 제시했는데 오늘 과제물을 몇 개 받았다며 소개해줬다. 평소 아내가 이렇게 통제 안 되는 아이들은 정말 처음이라면서 불평을 늘어놓게 한 5학생 아이들이었다. 그 가운데 한 아이는 격리의 장점으로 "학교에서와 달리 공부에 집중한다. 조용해! 떠들지 마! 같은 말을 안 들어도 된다. 엄마 아빠와 함께 공부하고 놀 수 있다. 영화도 자주 볼 수 있다." 등을 꼽았다. 단점은 "없다."라고 적었다. 이 아이는 심지어 학업 성적이 최하위권인 통제 안 되는 그룹에 속하는 학생이었다. 아내는 살짝 충격을 받은 눈치였다. 그 아이에게는 학교가 불필요한 곳이었나 보다. 나는 "아마 시골에 사니까 그럴 거야. 집도 정원도 넓어서 맨날 뛰어놀 수 있잖아. 학교보다 좋을 수밖에. 만약 파리 같은 도심지역 학생들에게 같은 걸 물어봤으면 다른 답이 왔을걸."이라고 말하며 위로를 시도했다.

어느새 정원의 풀들이 많이 자라 있었다. 잔디를 깎으러 나가는데 둘째가 본인이 하겠다고 나섰다. 나는 대충 구역을 일러주고 정원 반대편에서 아내와 티타임을 갖고 있었다. 그런데 절반 정도 한 뒤 둘째가 기계를 멈추고 우리 쪽으로 돌아왔다. 왜 도중에 오느냐고 물었더니, "저기 고슴도치 있는 쪽은 안 할래요."란다. 엊그제 체리나무 옆에서 봤던 그 고슴도치를 말하는 것이었다. 풀을 잘라주면 고슴도치가 좋아하지 않을까, 라고 말하자 "풀이 짧아지면 숨을 곳이 없잖아요."라면서 둘째는 집으로 들어가 버렸다.

프랑스에서 코로나19로 사망한 사람들의 수가 1만 명을 넘어섰다. 3월 1일 이후 오늘까지 1만328명이 희생됐다. 초기와는 사뭇 다른 분위기들이 곳곳에서 느껴진다. 아직도 마스크를 쓰지 않은 사람이 더 많은 현실에서 마스크 착용의 중요성에 대한 주장도 힘을 얻고 있다. 격리 해제는 '아시아처럼' 마스크 착용이 일반화됐을 때나 가능하다는 전문가의 의견이 소개됐다. 남쪽의 휴양도시 니스 같은 곳은 마스크 의무제를 시행하고 있다. 북부의 어떤 마을에서는 길거리를 포함한 공공장소에서 침을 뱉는 사람에게 벌금 68유로를 부과하기로 했다. 감염자의 동선 공개에 필요한 개인정보를 사용할 수 있도록 하는 조치에 대해서도 논쟁이 끊이지 않고 있다. 부활절을 앞두고 양 축산농가가 울상이라는 보도도 보인다. 슈퍼마켓을 드나들며 느낀 건 양 축산농가 못지않게 초콜릿 제조업체도 눈물을 흘리고 있을 것 같다는 점이다. 명당자리인 매장 입구 진열대에 산처럼 쌓여 있는 저 초콜릿은 다 어디로 갈까, 하는 생각이 들었다. 온 가족이 한자리에 모일 수 없는 이번 부활절에는 우리도 초콜릿을 거의 안 사게 될 것이다.

마음을 몰라줘서 미안해

4월 8일(격리 24일째) 수요일 맑음

며칠 전 비가 내린 날 체리나무에 피어 있던 꽃들이 대부분 떨어지고 말았다. 체리나무 꽃이 4월경 한국에서 흔히 보는 벚꽃과 같다는 걸 안 것은 프랑스에 온 뒤였다. 벚나무를 불어로 일본체리나무라고 부르기에 유심히 보니 그게 그거였다. 태어난 곳이 시골이어서 촌놈인데도 꽃이나 나무 이름은 젬병이다. 반면에 아내는 웬만한 꽃과 나무는 물론 풀의 이름도 줄줄 꿴다. 아내가 이름을 말하면 그 단어를 사전에서 찾아보고는 아 이거, 한다. 민들레와 진달래도 헷갈리는 수준이었으니 말 다했다. 벚꽃은 만개했을 때만이 아니라 질 때도 아름답다. 하얀 꽃잎이 바람에 실려 날아가면 멍하니 보고 있게 된다. 오늘 그랬다. 영화 속 슬로모션 효과가 눈앞에 펼쳐지는 듯한 착각이 들었다. 하지만 내릴 때는 아름답지만 녹기 시작하면 도시 전체를 지저분하게 만드는 눈처럼, 체리나무 꽃잎도 근육통을 얻으며 깨끗하게 청소한 테라스를 엉망진창으로 만들어버렸다. 체리나무가 꽃을 떨구자, 사과나무가 꽃을 피우기 시작했다.

사과나무 옆 보라색 라일락꽃과 잘 어울렸다.

　　이런 한가한 생각을 하던 고요한 수요일 오후였다. 담벼락 너머 이웃집에서 아부바카의 목소리가 들렸다. 이웃 커플이 돌봐주는 다섯 살짜리 아이인데 우리 셋째와 나이가 같아서 친구 먹은 지 세 달 정도 됐다. 가끔 서로의 집을 오가면서 논다. 엄마와 둘이 사는 아부바카는 엄마가 돌볼 수 없을 때 이웃집에 와서 돌봄을 받는다. 자키와 안니 커플이 할아버지 할머니 역할을 하는 것이다. 아프리카 이민자들의 정착을 돕기 위한 활동의 하나였다. 아부바카가 20개월이던 때부터 인연을 맺어 거의 친손자처럼 아껴준다. 아부바카가 담 너머에서 셋째를 부르고 있었다. 셋째는 집을 통과해 앞마당으로 향했다. 정원은 벽으로 막혀 있어 이웃집과 통하려면 집 앞마당으로 가야 한다.

　　속으로 생각했다. 그냥 멀리서 목소리로만 이야기 나누며 놀지 왜 만나러 가지? 아부바카를 집으로 데려오는 건 아니겠지. 걔네 엄마가 간호조무사인데 코로나 바이러스 감염 가능성이 있는 거 아닐까. 설마 안니가 그렇게 분별없는 사람은 아니겠지.

　　셋째는 한 손에 종이 한 장을 들고 돌아왔다. 아부바카가 셋째를 부른 건 직접 쓴 편지를 전해주기 위해서였다. "나랑 같이 아프리카 가자. 가서 사막에서 치타 보자." 셋째와 같은 학년인데 글씨를 훨씬 잘 썼다. 셋째가 이웃집에 다녀온 그 짧은 시간 동안 머릿속을 스쳤던 생각들 때문에 조금 무안했다. 그래서인지 편지를 보며 셋째 앞에서 오버액션을 했다. "아부바카 최고다. 너무 멋지다." 하면서 말이다. 이 번에는 첫째와 둘째가 부산하게 움직였다. 셋째가 답장을 쓸 차례였다. 첫째가 물었다. "아빠, 한국에서 유명한 동물이 뭐죠?" 나는 "어어, 호 랑이?"라면서 말꼬리를 흐렸다. 아니, 그건 호랑이 담배 피우던 시절 이야기지. 게다가 호랑이 하면 킬리만자로 아닌가. 나는 다시 "아니, 호 랑이 아니야."라고 정정했다. "세계에서 해가 처음으로 뜨는 나라니까 해 보러 같이 가자고 해." "먹는 건 뭐가 유명하죠?" "불고기!" 나는 아 이들의 숙제에는 별 도움이 안 되는 아무 말이나 하고 있었다. 얼마 후 셋째가 완성된 편지를 가지고 나타났다. "나랑 같이 산 보러 한국 가자. 네가 오길 바랄게." 아프리카의 치타보다 강력하지는 않았지만, 호랑 이나 불고기보다는 낫다는 생각이 들었다. 아이들은 편지와 마이쮸 두 개, 색종이로 접은 개구리를 들고 이웃집에 가서 전달하고 왔다. 안니 는 아이들 손에 직접 만든 쿠키를 들려 보냈다.

다시 한 번 셋째에게, 아부바카에게 그리고 이웃 커플에게

아부바카의 편지(왼쪽)와 셋째의 답장(오른쪽).
내용은 별 게 없지만 오고가는 편지 속에
싹트는 우정이 아닐 수 없다.

미안한 마음이 들었다. 오늘 미안한 것은 이게 전부가 아니었다. 수요일은 평소에도 오전 공부만 하고 집에 오기 때문에 약간 쉬어가는 날이다. 어렸을 때 할아버지가 '반공일'이라 불렀던 토요일처럼 말이다. 아침식사를 마친 뒤 아이들에게 씻고 옷 입으라면서 다그치는 투로 말했더니, 아내가 짜증 섞인 반응을 보였다. 왜 수요일까지 바쁘게 재촉하느냐고. 한국사람이어서 빨리빨리 하느라고 그랬어, 라는 말은 하지 않았다. 다음주부터 공식적인 방학이 시작되기 때문에 그전에 학생들 성적 내고 일일이 멘트 써서 가정통신문 만드느라 바빠서 신경이 곤두서 있나, 했다. 아내는 확실히 격리 이후로 잠이 많이 부족했다. 오전 내내 아내는 컴퓨터 앞에서 뭔가에 몰두했다. 나는 기분이 썩 좋지는 않았지만 그러려니 하고 내 할 일을 했다. 머리가 복잡할 때는 육체노동이 최고다. 오늘따라 넷째는 잠이 없었다. 점심식사 준비를 하고 넷째랑 놀아주고 오후에는 심지어 김치까지 담았다. 파리에 살 때는 한인슈퍼에서 사 먹는 '종갓집 김치'로 충분했는데 여기에서는 김치를 구할 수가 없어서 직접 만들어 먹는 중이다. 아내도 아이들도 맛있다고 한다. 내가 먹어도 맛있다. 아마 우리가 다시 파리에 살더라도 이제 김치는 내 손으로 담그지 않을까. 간식시간쯤 화색이 도는 얼굴로 아내가 나타났다.

사연은 이랬다. 지금은 아이들의 내년 학기 입학 서류를 작성하는 시기다. 9월 개학이니 기존에 다니는 학생들은 4월에, 그 학교를 계속 다닐지 아니면 학교를 바꿀지 결정을 해야 하는 것이다. 원래

원서 접수일은 3월 말이었는데 우리는 차일피일 미루고 있었다. 평균적으로 등록금이 오르기도 했고, 지난해 우리가 정부에서 받은 보조금이 많아서 카테고리가 높아질 것 같았기 때문이다. 카테고리가 높아지면 자연히 등록금도 올라간다. 등록금은 부모의 소득 수준과 가족 수 등에 비례해 다섯 등급으로 나뉜다. 만약에 카테고리를 예전처럼 낮추지 않으면 다른 학교로 보내야 하나, 까지 고민하던 차였다. 그래서 교장에게 편지를 쓰기로 했다. 편지를 쓰기로 한 것이 3주 전이었는데, 아내는 3주 동안 끙끙 앓고 있었던 것이다. 불어로 쓰는 편지라 내가 도와줄 수도 없었다. 게다가 예민한 내용이었던 만큼 풀어내기가 쉽지 않았을 것이다. 원격수업 준비로 바쁘던 것이 좀 잦아들자 오늘을 디데이로 잡았나보다. 오전 내내 혼신의 힘을 다해 편지를 써 드디어 교장에게 보낸 것이다. 메일을 보낸 지 얼마 안 돼 교장으로부터 긍정적인 답을 받았으니 묵은 스트레스가 한 번에 풀렸을 법도 하다. 아내는 자랑스럽게 교장의 반응을 말했고 나는 진짜 잘 됐네, 라고 진심으로 기뻐했다. 다만 너무 열광적으로 맞장구를 치지 않는 것으로 아침에 내게 짜증을 낸 것에 소심한 복수를 했다. 그래도 편지쓰기를 도와주지 못한 것, 혼자 끙끙 앓게 내버려둔 것은 미안하다.

아내는 스트레스가 풀린 것을 기념하듯 정원 구석으로 가서 가지치기에 몰두했다. 삼두박근이 후들거릴 정도로 육체노동을 한 아내와 테라스에서 식전주 와인잔을 부딪혔다. 우리는 포근해진 날씨를 본격적으로 즐기기 위해 테라스에 정원용 탁자를 옮겨놓았다. 밖에서 식사하는 계절이 온 것이다. 오늘 엘리제궁은 격리조치가 4월 15일 이후로 연장될 것이라면서 격리 일정에 관한 더 자세한 정보를 조만간 발표할 것이라고 밝혔다. 중증환자 증가세가 주춤해졌다. 어제 7131명이던 것이 오늘은 단 17명 늘어난 7148명이었다. 이전까지는 하루에 수백 명씩 늘었었다. 중증환자 수는 잠재적 사망자의 수이기도 하기 때문에 눈여겨봐야 할 수치다. 이제 정점이어서, 내일부터는 중증환자 수가 줄어들고 높아만 가던 확진자 그래프도 옆으로 눕길 기원해본다.

둘의 심오한 라이벌 관계

4월 9일(격리 25일째) 목요일 맑음

학교에 가지 않는 주말 아침, 아이들은 최대한 늦게 부엌으로 내려온다. 그렇게 "빨리빨리"를 외치는 나도 토요일과 일요일은 재촉하지 않는다. 배꼽시계가 꽤 정확해서 길어봐야 30분 후면 식탁에 마주앉아 함께 아침을 먹게 되기 때문이다. 격리생활이 길어지자 평소 패턴을 계속해서 유지하는 게 점점 더 어려운 일이 되고 있다. 초기에는 아이들이 주중과 주말을 꽤 잘 구분해서 생활했다. 예를 들어 주중에는 아침에 뜸을 들이지 않고 곧바로 식탁에 앉아 함께 아침을 먹고, 씻고, 옷 입고 9시 30분쯤이면 책상에 앉았다. 이 과정이 자연스럽게 이어졌다. 자연스럽게 이어졌다는 말은 여러 번 재촉하거나 목소리를 높이지 않아도 그다음 순서로 알아서 넘어갈 줄 알았다는 이야기다. 대신 아이들도 나도 주말 아침에는 좀 여유를 부렸다. 그런데 격리 4주째를 지나오면서 그 구분이 애매해지고 있다.

특히 둘째와 셋째는 우리 침대로 와서 아침인사로 볼 키스를 건넨 다음 부엌으로 가는 대신 다시 자기네 방으로 돌아간다. 아내는 넷째의 기저귀를 갈고, 나는 부엌으로 가서 넷째가 먹을 분유를 만들고 나머지 다섯 사람의 아침을 준비한다. 커피를 내리고, 빵을 굽고…… 늦어도 커피가 다 내려질 때쯤이면 아이들이 내려와 우유와 주스를 꺼내고 시리얼을 볼에 담는 게 주중의 루틴이다. 그런데 며칠 전부터 내가 둘째와 셋째의 방에 다시 올라가서 밥 먹자, 는 말을 꼭 하게 된다. 아침부터 두 아들은 레고 놀이를 열심히 하고 있다. 그놈의 레고가 뭐기에. 오늘의 스토리는 항구에 정박해 있는 두 척의 배다. 항구도 배도 모두 아이들의 머릿속에서 나온 순수 창작물이다. 그래서 뭔가 복잡하지만 조악하다. 원래 제품은 형체를 알아볼 수 없게 해체된 지 이미 오래다. 장난감을 부수고 다시 조립할 수 있는 것은 레고의 가장 큰 매력이기도 하다.

초등학생 정도 되는 아이를 둔 프랑스 가정의 부모들은 누구나 알고 있을 것이다. 레고와 플레이모빌의 심오한 라이벌 관계에 대

첫째의 플레이모빌 소꿉놀이 스토리에
등장하는 가족의 모습

해. 당장 우리집만 하더라도 딸인 첫째의 방은 플레이모빌이 장악하고 있고, 아들인 둘째와 셋째의 방엔 레고가 쫙 깔려 있어서 제대로 걷기도 힘들 정도다. 특히 크리스마스가 되면 우린 고민에 빠진다. 레고냐, 플레이모빌이냐. 마치 부먹이냐 찍먹이냐, 양념이냐 후라이드냐, 비냉이냐 물냉이냐, 를 고민하는 것처럼 말이다. 그런데 그게 그리 간단한 문제가 아니다. 사실 먹는 것은 부먹 반 찍먹 반 또는 양념 반 후라이드 반, 넌 비냉 난 물냉 그리고 반반씩, 처럼 절충의 묘미가 있는데 레고와 플레이모빌의 관계는 그럴 수가 없다. 한 번 발을 들여놓으면 쉽게 상대 진영으로 넘어가기 어렵다는 의미에서 차라리 맥킨토시냐 PC냐, 고양이냐 강아지냐, 삼각이냐 사각이냐의 비유가 더 어울릴 것 같다. 어른이 된 뒤에도 처음 만난 자리에서 너 레고야 플레이모빌이야, 라는 물음에 같은 답이 나오면 그때부터는 이야기가 술술 풀린다.

레고는 블록형이어서 조립이 가능하고 플레이모빌은 완성형이어서 디테일이 살아 있다. 레고는 인물의 몸통은 물론 얼굴까지도 각

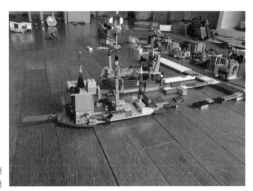

둘째와 셋째가 레고 블록을 이용해
제멋대로 만든 항구와 배

이 져 있지만, 플레이모빌은 둥글둥글하다. 레고를 좋아하는 사람들은 플레이모빌이 이미 만들어져 있는 걸 가지고 노는 것이어서 장난감 중 하수라고 폄하하고, 플레이모빌 팬들은 레고 모형이 사실적이지 않다면서 깎아내린다. 어떤 연구결과에 따르면 레고를 좋아하는 사람은 과학적이고, 플레이모빌을 좋아하는 사람은 창의적인 성향이라고 한다. 또 다른 연구는 레고가 고독하고 빈틈없는 장난감이라면, 플레이모빌은 사교적이고 쾌활하다고 봤다. 연구 결과라고 하니 근거가 아예 없진 않겠지만, 완벽하게 이해가 되지는 않는다. 다만 내가 잡아낸 두 장난감의 공통점은 명쾌하다. 바로 동그랗게 말린 손 모양. 물론 그 규격은 다르다. 니콘과 캐논의 카메라 렌즈가 서로 호환되지 않는 것처럼.

호기심이 생겨 아이들에게 물어봤다. 레고가 좋아, 플레이모빌이 좋아? 의외로 망설임이 없었다. 첫째는 플레이모빌, 둘째는 레고, 셋째는 나도! 였다. 그 이유도 그리 특별할 게 없었다. 첫째는 주로 집을 꾸며놓고 스토리를 만들어 노는데 집 안에 있는 가구 등이 아기자기하게 예뻐서 세부적인 걸 표현할 수 있는 점이 좋다고 했다. 레고에 등장하는 집안 소품들은 플레이모빌보다 덜 사실적이다. 둘째가 레고를 좋아하는 이유는 역시나 부수고 만들고를 반복할 수 있고, 생각한 대로 아무렇게나 만들어 볼 수 있기 때문이다. 블록만 있으면 우주와 물속을 동시에 자유롭게 다닐 수 있는 잠수우주선도 만들 수 있다. 셋째는 나도 나도, 한다. 우리는 테라스에 놓은 야외용 식탁에서 점심을 먹으며 이런 이야기를 나눴다. 갇혀 있는 우리 처지를 아는지 모르는지 날씨는 오늘도 죽인다.

      이번 주 토요일부터 블루아를 포함한 이 지역 학교들도 2주 간의 방학에 돌입한다. 원래 학교에 안 가고 있었는데 공식적으로 방학을 하든 말든 무슨 의미가 있느냐고 볼 수도 있지만 그게 그렇지 않다. 우리가 격리생활을 하는 동안 주중 모드와 주말 모드가 확실히 다르듯 방학 모드는 또 따로 있다. 주말 모드에 주중 모드의 오전을 살짝 끼워 넣은 정도가 되지 않을까. 아내는 주말 모드로 쭉 가자고 할지 모르지만 나의 바람은 그렇다. 그렇게 해서라도 아이들을 책상에 앉히지 않으면 아이들은 하루 종일 레고를 부수고 세우고, 플레이모빌로 이야기를 만들고 놀 것이다. 아무것도 하지 않고 있는 아이들을 보면 괜히 불안하다. 나도 어쩔 수 없는 한국형 꼰대인가 보다. 아무런 벌이도 못한 채 지나가는 날이 곧 4주를 채운다. 아, 살짝 지친다. 그러다가도 레고를 가지고 슉, 솨, 하는 두 아들놈을 보면 정신이 번쩍 든다.

      중증환자의 수가 어제 두 자릿수로 주춤한 데 이어 오늘은 마이너스로 돌아섰다. 7148명에서 7066명으로 82명 감소했다. 반가운 소식이 아닐 수 없다. 격리조치 효과가 나타난 결과라는 분석이 있지만 아직은 신중해야 한다는 의견도 만만치 않다. 프랑스 서부의 대도시인 낭트의 대학이 오늘 휴교령을 여름방학까지 연장하기로 결정했다. 다른 대학이나 교육기관에도 영향을 미칠지 모르겠다. 나를 포함한 프랑스의 모든 사람들은 격리조치의 끝이 언제일지 궁금해 죽을 지경이다.

아마 마크롱 대통령이 TV에 나오는 월요일에 언급이 있을 것 같다. 다만 전 세계 인구의 절반이 격리 중이거나 격리를 경험했다는 통계에 아주 약간은 위안이 된다. 나 혼자가 아니구나, 하는 생각.

수고 많았어, 엄지야

4월 10일(격리 26일째) 금요일 맑음

아내가 셋째를 임신했을 때 서울에 살고 있던 우리 네 식구는 6월로 예정된 셋째의 출산을 위해 그해 4월부터 프랑스 처가에서 지냈다. 아내의 직장이 프랑스 시스템을 적용하는 곳이어서 가능했다. 셋째아이부터는 출산휴가가 6개월이다. 당시 첫째는 다섯 살, 둘째는 세 살이었다. 2016년 봄과 여름의 사진을 지금 들춰보면 단번에 알 수 있다. 셋째가 세상에 나오기 전과 나온 뒤 둘째의 표정이 얼마나 다른지. 아내의 배가 만삭에 가까워졌을 때 아내는 운동 삼아 더 자주 산책을 했는데, 네 식구가 함께 걷던 그 순간 속 사진에서 둘째는 세상을 다 가진 아이의 얼굴을 하고 있다. 아내는 틈만 나면 배를 쓰다듬으며 "곧 동생이 나올 거야. 우리의 새로운 가족이야. 네가 예뻐해 줘야 해."라고 둘째에게 안심을 시켰다. 둘째도 곧잘 알아듣는 것 같았다.

막 태어나 아직 쭈글쭈글한 셋째를 본 둘째가 이렇게 말했다. "이거 뭐야, 엄마?" 이 아기도 아니고 이 사람도 아니고, "이거"란다. 우리는 적잖이 당황했다. 우리보다 더 당황한 것은 둘째였을 테지만. 그때는 둘째가 어떻게 변할지 알지 못했다. 첫째는 둘째가 태어난 뒤에도 변화가 크지 않았다. 셋째가 태어난 6월 중순 이후 사진을 보면 둘째의 얼굴에 다크서클이 짙게 드리워져 있다. 웃는 사진을 거의 찾을 수가 없다. 그해에 찍은 사진에서 둘째 표정만 봐도 6월 중순 전인지, 이후인지를 알 수 있을 정도다. 그게 끝이 아니었다. 둘째의 퇴행 현상은 강하고도 길게 이어졌다.

마음에 들지 않는 일이 일어났을 때 둘째는 고래고래 소리를 지르며 지구가 흔들릴 정도로 울어재꼈다. 엄마가 눈앞에 와야만 겨우 해결의 실마리를 찾을 수 있었는데, 엄마는 셋째 보느라 귀한 몸이 돼 있었다. 꼭 셋째 때문이 아니더라도, 이유 없는 생떼라고 판단했을 경우에는 먼저 울음을 멈추기 전에 엄마가 나타나는 경우는 없었다. 중간에서 내 역할이 중요했는데, 나는 둘째에게 '아웃 오브 안중'이었기 때문에 대개는 상황을 악화시킬 뿐이었다. 참다 참다 어찌할 바 몰라 엉덩이에 손이 나간 적도 한두 번이 아니었다. 그때의 안 좋은 기억 때문에 나는 둘째에게 항상 미안한 마음을 갖고 있다. 언젠가 둘째에게 그때를 기억하느냐고 물었더니, 그렇다는 대답이 돌아왔다. 우리 노력과 둘째의 노력이 빛을 보기 시작한 것은 셋째가 세 살쯤 됐을 때였다. 그러니까 셋째를 동생으로 받아들이기까지 3년 정도 걸린 것이다. 둘째가 그리는 가족 그림에 셋째가 등장한 것도 그 무렵이었다.

셋째와 넷째는 다섯 살 차이가 난다. 그래서 나는 은근히 기대했다. 다섯 살이면 본인의 생각을 또렷하게 표현할 수 있는 나이이니, 둘째가 겪었던 것만큼 심한 과정은 없을 수도 있겠다는 기대 말이다. 확실히 둘째보다는 덜했지만, 셋째 역시 넷째가 태어난 이후 엄마에게 더 집착하는 모습을 보였다. 아니 보이고 있다. 겉모습에서 눈에 띄는 점은 몇 년 동안 끊었던 손가락 빨기를 다시 시작했다는 사실이다. 애착인형 역할을 하는 갓난아기용 베개도 다시 지니고 다니기 시작했다. 아예 못하게 하는 것은 셋째에게 너무 가혹한 일이 될 수 있다는 것쯤은 나도 안다. 그래서 잘 때, 침대에서만 하는 것으로 유도를 하지만 그게 마음처럼 쉬울 리 없다. 얼마나 손가락을 빨아재끼는지 올 겨울에는 오른쪽 엄지손가락이 갈라져 핏자국이 났을 정도였다. 그런 경우에는 고민할 것도 없이 왼손 엄지를 입으로 가져간다.

프랑스에서는 아이들이 손가락 빠는 행위에 대해 관대하다. 한국에서처럼 매니큐어를 바른다거나 하는 방식으로 강제로 개입하지 않으려 한다. 한국에서 살아본 경험에 의하면, 손가락 빠는 아이를 보는 한국인의 시선은 꽤 차갑다. 우리가 한국에 살 때 첫째가 손가락을 빨았기 때문에 느낀 점인데, 손가락 빠는 아이를 정서가 불안한, 그래서 궁극적으로는 좀 아픈 아이로 보는 것 같았다. 이와 달리 프랑스에서는 정서불안을 상쇄시켜주는 스스로의 방어기제 정도로 인식하는 게 아닌가 싶다. 더 나아가 정서불안과 손가락 빨기는 크게 연관이 없으며 그 습관을 가진 아이들은 아무리 엄마가 안아줘도 스스로 결심하지 않으면 멈출 수 없다고 보는 것이다. 이런 머리 아픈 이유가 아니라 손가락을 빨려는 아이와 다투기 싫어서 그냥 놔두는 경우가 대부분일 수도 있다. 프랑스에서 치아 보정을 하는 청소년기 아이들이 많은 이유가 손가락 빨기를 너무 늦게까지 방치해서라는 분석도 있다.

한국사람, 프랑스사람이 같이 사는 집 아니랄까 봐 우리집에는 두 가지 대응방식이 상존하고 있다. 나는 어떻게 해서든 손가락 빨기를 끝내보려고 노력하는 편이고, 아내는 스스로 끊을 때까지 놔두자는 편이다. 서로 강하게 주장하지는 않아서 이 문제로 부딪히지는 않지만 상대의 입장은 서로 잘 알고 있다. 그래서 내가 셋째에게 제안한 것이 침대 밖으로 애착인형 가지고 나가지 않기다. 아무래도 애착인형이 손에 없으면 손가락을 덜 빨기 때문이다. 그러나 현재까지는 그냥 내 바람일 뿐이다.

오전부터 셋째가 시들시들했다. 아침도 먹는 둥 마는 둥 입맛이 없어 보였다. 점심때 혀를 내밀어 아프다고 말했다. 자세히 들여다보니 혀에 돌기 하나가 생겼다. 신경 쓰이는지 제대로 먹지를 못했다. 아내가 지나치듯 말했다. "너 맨날 정원에서 흙 만지고 놀고 손도 안 씻고 손가락 쭉쭉 빠니까 그런 거 생기지." 셋째는 듣기 싫은 표정을 하고 있었지만, 뭔가 신경이 쓰이는 듯했다. 점심 이후에 나는 오랜만에 정원 풀밭에 돗자리를 깔고 낮잠을 청했다. 적당한 낮잠은 역시, 항상 옳다. 거실로 가보니 아이들 셋은 서로 몰려다니면서 뭔가를 꾸미고 있는 듯했다.

　　짜잔, 하면서 첫째가 뭔가 대단한 것처럼 셋째의 손가락을
내밀었다. 키친타월 한 장을 돌돌 말아서 엄지를 감고 고무줄로 고정했
다. 식사도 못할 정도로 날카로운 혀의 고통이 많이 거슬렸나 보다. 셋
째가 손가락 빨기를 끊기로 결심한 것이다. 첫째와 둘째는 아침 점심
저녁에 각각 두 칸의 네모, 하루에 총 여섯 칸이 그려진 계획표도 만들
었다. 손을 씻고 네모 안에 동그라미, 밴드를 붙이고 네모 안에 동그라
미를 그리면 된다. 나는 "너 넷째 태어나기 전에는 손가락 안 빨았었
어."라고 말하면서 그렇게 어려운 일이 아닐 수도 있음을 강조했다. 첫
째와 둘째는 저녁식사 이후에 셋째가 손을 씻고 밴드 붙이는 것을 도와
줬다. 셋째는 아무 불평 없이 순순히 자신의 엄지를 누나와 형에게 내

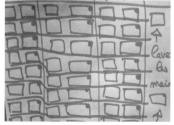

셋째는 빨간색 네모 칸을 다 채우고
손가락 빨기를 끊을 수 있을까.

줬다. 내 바람과는 달리 매우 어려운 일이어서 이번 시도가 실패로 돌아갈 수도 있지만, 셋째의 결심을 진심으로 지지한다. 셋째의 엄지가 자유로워지길 기원해본다.

오늘부터 우리 지역도 2주간의 방학에 돌입했다.

햇살 좋은 날엔 바비큐

4월 11일(격리 27일째) 토요일 맑음

부활절 방학 첫날이자 토요일이고, 부활 전야다. 그러나 우리에겐 격리된 여러 날 가운데 하루일 뿐이다. 지난주 토요일 파리 지역 초중고교가 방학에 들어갔을 때 그런 것처럼 이번에도 정부는 군과 경찰 16만 명을 동원해 단속을 실시했다고 한다. 격리조치를 무시하거나 뜻을 제대로 이해하지 못하고 바캉스를 떠나는 사람들을 돌려보내기 위해서다. 이들은 대부분 휴가지에서 격리생활을 이어갈 거라고 항변하는데, 휴가를 위한 이동은 정부가 허가한 예외조항에 들어 있지 않다. 한 프랑스인 가족이 방학을 맞아 스페인에 갔다가 경찰에 적발돼 벌금 600유로를 물고 다시 돌아왔다는 기사를 오늘 읽었다. 스페인과 프랑스 국경은 현재 공식적으로 닫힌 상태여서 최소한의 출입만 가능한데 이들은 밤 시간 국도 등을 이용해 스페인으로 들어간 것으로 보인다고 기사는 전했다. 휴가에 대한 종교에 가까운 신념을 몸소 실천하다 그 뜻이 순교당한 것이다. 아니면 단순히 오래전 예약한 호텔이나 펜션이 숙박 요금을 환불해주지 않아 그랬을 수도 있다.

격리조치가 길어지자 곳곳에서 프랑스인들의 일탈이 나오고 있다. 날씨가 본격적으로 포근해진 지난주부터 파리에서는 10~19시 사이 조깅이 금지됐다. 낮 시간에 너무 많은 조깅족, 산책족들이 거리를 부유하고 있어서 내려진 조치였다. 그런데 이 조치 역시 조삼모사라는 생각밖에 들지 않는다. 모든 조깅족들이 10시 이전과 19시 이후로 집결하기 때문이다. 내 눈으로 확인할 수 없어 아쉬울 따름이지만, TV 뉴스에서 본 센 강변은 코로나 사태 이전 화창한 날의 주말처럼 많은 사람들로 붐볐다. 한가하게 걷는 사람들을 요리조리 피해 가며 조깅족들이 강변을 달리고 있었다. 걷든 뛰든 마스크를 쓴 사람은 별로 눈에 띄지 않았다. 파리의 주거 환경을 잘 아는 처지에서 이해가 되긴 하지만, 우리만 너무 순진하게 격리조치를 칼같이 지키고 있는 것 아닌가 하는 생각마저 들었다.

뉴스에서 보는 파리뿐 아니라 일상적으로 가는 우리 동네 슈퍼마켓에서도 전보다 긴장감이 많이 떨어진 느낌을 받는다. 바리케이드를 이용해 출입구를 좁게 해서 고객 수를 제한하던 격리조치 초기의 모습은 온데간데없어졌다. 전처럼 출입구를 다 열었고, 슈퍼마켓 입구에서 줄을 서는 일도 없어졌다. 물론 마스크를 쓴 사람들은 전보다 훨씬 많아졌지만, 아직도 쓰지 않은 사람이 절반은 되는 것 같다. 인터넷과 SNS에는 마스크 직접 만들기 레시피가 꽤 활발하게 유통되고 있다.

프랑스를 대표하는 명품 중 하나인 루이뷔통은 여섯 곳의 공장에서 일주일에 10만 개의 마스크를 생산하고 있고, 다음주부터는 의료용 가운도 제작한다고 한다. 우와, 희귀 아이템 아닌가. 그런데 마스크도 의료진용이어서 LV 마크가 찍힌 마스크를 직접 보긴 어려울 것 같다. 전쟁 중에 전차를 생산했던 독일 자동차 업체들의 에피소드처럼 루이뷔통의 마스크 역시 역사책에 한 줄을 장식하게 되지 않을까.

프랑스인들이 격리생활을 더 힘들어하는 이유 중 하나는 바로 매일 최고기온을 경신하고 있는 날씨 때문이다. 겨울 일조량이 한국과는 비교하기 어려울 정도로 적은 프랑스에서는 꽃들이 봉오리를 터뜨리는 4월경 비가 주춤하고 햇살이 좋아지면 모든 사람이 밖으로 나온다. 비타민 D를 보충하기 위해 공원이며, 카페 테라스며, 강변로며, 해가 있는 곳이라면 어디라도 자리를 잡는다. 파리 도심의 오페라하우스 아래 돌계단은 햇살 샤워하기 좋은 곳으로 유명하다. 구름이 낀 날에도 잠깐 해가 모습을 드러내면 어디서 나타났는지 모를 사람들이 금세 계단을 가득 채운다. 광장이 잘 내려다보이는 2층 카페에 앉아 해의 움직임에 따라 왔다 갔다 하는 사람들을 구경하노라면 시간이 금방 간다.

며칠 전부터 우리도 햇살을 최대한 즐기기 위해 테라스에서 식사를 하고 있는데, 저녁때면 특히 멀리서 단백질 타는 냄새가 우리의 코로 스며든다. 그렇다, 이 동네 어디선가 피우는 숯불 바비큐 연기가 넘어오는 것이다. 바비큐야말로 어둡고 침침한 계절이 가고, 바캉스와 아뻬리띠프가 있는 초록의 시간이 왔음을 알리는 신호탄의 마침표라고 할 수 있다. 계절은 한꺼번에 가고 오지 않는다. 내가 그 신호탄을 가장 먼저 감지하는 것은 출근길 자동차 앞 유리의 성에다. 성에가 얇아져서 없애는 데 시간이 거의 걸리지 않을 때 이제 겨울이 가려나, 하고 알아챈다. 이후로는 재촉하지 않아도 알아서 온다. 외투가 거추장스러워지고, 벽난로 청소를 하고, 테라스 쪽으로 난 거실의 유리문을 열어두고, 화단의 잡초를 뽑고, 정원에서 보내는 시간이 많아진다. 서머타임이 적용되면서 밤이 길어지고, 난방을 꺼도 춥지 않게 됐다. 이제, 바비큐에 불을 지필 시간이다.

우리 부부는 고기를 썩 즐기지 않는 편이다. 그렇지만 바비큐는 가끔 피운다. 고기 외에 샐러드 정도만 있으면 돼서 준비하는 데 손이 덜 가는 장점도 있다. 오늘 점심은 바비큐를 먹기로 했다. 어제 저녁식사 때 우리에게 고기 굽는 냄새를 날려준 이웃에게 보내는 답장이라고나 할까. 이런 날에 대비해 숯도 한 포대 구입해놓았다. 바비큐 그릴은 이 집에 이사 오던 해에 독일 사는 처제가 선물해줬다. 바비큐의 매력은 무엇보다 분위기다. 활활 타오르는 장작과 숯불이 일상에서 잠시 벗어난 느낌을 주기 때문일 것이다. 둘째는 자기가 불을 붙이겠다고, 내가 고기 사러 간다고 할 때부터 일찌감치 예약했다.

날씨가 풀리고 해가 나오는 시간이 길어지면 정원이 넓은 처가에서는 특히 바비큐를 자주 먹는다. 거기에서도 내가 불 담당이다.

둘째가 불장난을 좋아하는 걸 충분히 이해하는 이유는 나도 그 나이에 그랬기 때문이다. 심지어 지금도 좋아한다. 바비큐 불 담당을 10년 정도 하다 보니 나름의 노하우도 생겼다. 고기를 구워서 각자의 접시에 담아주면, 가족들이 정말 알맞게 잘 구워졌다고 칭찬이 자자하다. 나를 불 담당 붙박이로 두려는 수작인지, 아니면 진짜로 맛있어서인지 알 수 없지만 불장난을 좋아하는 나로선 불장난도 하고 칭찬도 받았으니 나쁠 게 없다. 숯불이 되기 위해 바비큐 그릴 안에서 활활 타오르는 장작과 풀밭에서 뛰어노는 아이들을 번갈아 보고 있는 내게 아내는 시원한 아뻬리띠프를 가져다준다. 와인잔을 들고 장인, 장모 또는 외삼촌 부부, 처제 부부들과 이런저런 이야기를 나누다 보면 여름밤이 소리 없이 깊어간다. 우리 가족의 여름 일상을 올해에도 이어갈 수 있을까.

축축하고 어두운
겨울의 긴 터널을 빠져나왔음을 알리는
마지막 신호가 바비큐다.

이런 부활절, 저런 망상

4월 12일(격리 28일째) 일요일 맑음

우리나라의 가장 큰 명절이 설날과 추석이라면, 프랑스에는 크리스마스와 부활절이 있다. 그냥 종교적으로 특별한 날일 뿐인데 내가 한국적 의미가 담긴 '명절'이란 단어를 쓴 이유는 프랑스에서도 이때가 되면 온 가족이 모이기 때문이다. 설날과 추석에 10시간 넘게 자동차 안에 갇히는 고통을 감내하고라도 부모님을 찾아뵙고 형제자매들을 만나 시간을 보내듯 크리스마스와 부활절에는 만사를 제치고 휴가를 내서 가족들을 만나러 간다. 이 기간에는 전국의 고속도로가 만원이 된다. 가톨릭 신자가 아니더라도 이 두 축제가 다가오면 온 가족이 모여서 함께 보낸다. 그래서 더욱 우리나라 신문지상에 자주 등장하는 '민족 최대의 명절'이라는 문구와 어울린다.

특히 부활절이 한국 명절과 더 비슷한 느낌을 주는 이유 중 하나는 날짜가 매년 바뀌기 때문이다. 설날이나 추석이 음력에 따라 날짜가 바뀌듯, 부활절은 기독교의 달력에 따라 매년 달라진다. 지난해에는 4월 21일이었고, 올해는 4월 12일이다. 4월 중순인 것은 확실하지만 날짜는 매년 다르다. 지난해 부활절 날짜를 정확하게 기억하는 이유는 순전히 개인적인 경험 때문이다. 부활절 다음날 월요일에 넷째가 태어났기 때문이다.

지난해 부활절에는 우리집에서 명절을 지냈다. 프랑스 남서쪽 보르도 인근의 뽕도라에 사는 장인 장모도, 슈투트가르트에 사는 처제 부부도 블루아로 집결했다. 뽕도라에서 여기까지는 차로 5시간 정도, 슈투트가르트에서는 8시간 정도 걸린다. 원래는 뽕도라에서 모이는 것이 일반적인데, 지리적으로 중간쯤에 위치한 우리집에서 한 번 해보자는 아이디어가 나왔고, 우리도 흔쾌히 동의해서 이뤄지게 됐다. 부활절 일주일 전에 모여서 한 주 동안 세 식구, 총 열 명이 함께 지냈다. 어른 여섯에 아이들 넷, 아내는 만삭이었다. 예정일은 아직 3주 정도 남은 상태였지만, 우리 아이들 셋이 다 2~3주 먼저 나온지라 넷째가 나

정원의 나무에 달려 있는
부활절 달걀

올 날도 머지않았음을 직감으로 알고 있었다. 무엇보다 가족들이 있을 때 태어나면 내가 병원에 가 있는 동안 다른 가족들이 나머지 세 아이를 돌봐줄 수 있다는 현실적인 이점이 있었다.

부활절 다음날 월요일은 법정 공휴일이어서, 명절을 지낸 가족들이 헤어지는 날이었다. 화요일부터는 모두 각자의 일상으로 돌아가게 돼 있었다. 아내는 그날 새벽에 진통을 느꼈고, 우리는 함께 병원으로 향했다. 독일팀은 예정대로 떠났고, 장인 장모는 며칠 더 머무르기로 했다. 나는 부활절 방학 기간 내내 아내의 뱃속에 있는 넷째에게 "네가 우리를 도와주고 싶다면 정말 늦어도 월요일에는 나와줘."라고 부탁을 했었다. 만약 장인 장모님이 없었다면, 아내와 내가 병원에 가 있는 동안 아이들을 돌봐줄 사람을 수소문하는 번거로움을 겪어야 했을 것이다. 이 도시에서 우리가 친하게 알고 지내는 사람들은 대개 3~6명씩 아이가 있어서 우리 세 아이를 하루 정도 보낼 가족을 찾는 일이 어렵진 않다. 사정을 서로 다 아는 데다 그들이 우리와 같은 처지에 놓였을 때 우리가 도움을 줄 수도 있어서다. 그러나 결과적으로 넷째가 내 부탁을 들어줌으로써 이런 절차를 생략할 수 있었다.

내 어린 시절 부활절의 기억은 성당에 모여 삶은 달걀에 열심히 색칠을 하던 장면이다. 물감이 흰자에 스며들어 먹기에 꺼림칙한 달걀도 있었다. 프랑스에서는 부활절에 어른들은 푸아그라와 양고기를 먹고, 아이들은 초콜릿을 양껏 먹을 수 있다. 달걀 모양을 대표로 한 각

양각색의 초콜릿이 부활을 앞두고 슈퍼마켓에 쫙 깔리는 이유가 여기에 있다. 초콜릿 회사와 푸아그라나 양 축산 농가 입장에서는 부활절이 대목인데 올해는 죽을 쑤게 생겼다. 우리만 해도 온 가족이 모였을 때 샀을 초콜릿 양의 절반도 안 되는, 최소한의 양만 구입했기 때문이다. 어른들이 정원에 초콜릿을 숨겨두면 점심식사를 마친 아이들이 바구니를 들고 다니면서 초콜릿을 찾는다. 마치 보물찾기 놀이하듯. 쌓인 초콜릿 더미를 보며 아이들은 행복에 젖는다. 아이들이 초콜릿을 공식적으로 그렇게 많이 먹을 수 있는 날은 부활절이 유일하다.

성당에 가지 못하고 가족들과 보내지도 못한, 특별한 부활절에 뉴스를 훑어보며 의문이 생겼다. 오늘 현재 프랑스의 확진자 수는 9만5403명, 사망자는 1만4393명이다. 4월 들어 사망자 수가 폭증했는데 이는 요양원 등 사회복지시설에서 감염돼 사망한 사람들의 수까지 통계에 넣었기 때문이다. 전체 사망자 중 9253명은 병원에서 숨졌고, 5140명은 요양원에서 사망했다. 요양원 사망자가 3분의 1을 넘는다. 병원에서 숨진 사람 중에서 60세 이상 비율이 절반을 넘는다. 그렇게 따지면 전체 사망자 가운데 노인들의 사망률은 3분의 2를 웃돈다. 프랑스 정부가 또는 프랑스인들이 코로나 바이러스에 경각심을 덜 갖는 이유는 어쩌면 주로 노인들이 사망하기 때문이 아닐까 하는 끔찍한 생각이 들었다. 정부 입장에서는 노인들에게 들어가는 퇴직 연금을 절약할 수 있고, 늙은 부모를 가진 프랑스인들에게는 유산이 생긴다.

중도우파인 공화당의 에릭 치오티 국회의원이 라디오 인터뷰에서 "충격적이고 화가 난다."면서 "우리가 노인들을 죽게 방치했다. 요양원에서 감염된 사람들의 입원 치료를 거부함으로써 이들을 무관심 속에 사망하게 만들었다."라고 말했다. 확진자도 사망자도 전 세계에서 다섯 손가락 안에 드는 이 나라에서 확진자의 동선을 공개하는 애플리케이션에 대한 찬반이 45대 46으로 여전히 팽팽하게 대립하고 있다. 전방위적인 검사는 아직도 하지 않고 있다. 상황이 이 지경인데도 여전히 "독일처럼 검사를 확대해야 하나?" 같은 기사가 등장한다. 이 특별한 부활절에 스친 내 생각이 그저 망상이길 바랄 뿐이다.

다섯째 주

흔히 말하듯 시민들은 받아들이면서 거기에 순응하고 있었는데,
이는 그 외에 다른 방법이 없기 때문이었다.
−알베르 카뮈, 《페스트》

학교 갈 날이 잡혔네

4월 13일(격리 29일째) 월요일 맑음 강한 바람

이렇게 프랑스 대통령의 연설을 기다리는 날이 올 줄이야. 오늘은 격리조치 연장과 관련해서 마크롱 대통령의 담화가 예고된 날이다. 생방송 시각인 오후 8시는 아이들 돌보느라 한창 바쁜 시간이어서 9시께 아내와 함께 컴퓨터 앞에 앉아 유튜브로 녹화방송을 시청했다.

정리하자면,

• 어린이집과 유치원, 초중고교는 5월 11일 다시 문을 열게 된다. 대학은 여름방학 때까지 휴교령을 이어간다.

• 상업시설과 회사들도 같은 날 격리조치를 해제하고 영업을 재개한다.

• 다만 술집과 식당, 카페, 호텔, 극장, 공연장, 박물관 등은 7월 중순까지 폐쇄 조치가 계속된다. 각종 축제도 이 범주에 들어간다. (이에 따라 개최 여부가 불투명했던 아비뇽 축제는 취소됐다.)

• 새로운 결정이 나올 때까지 비유럽 국가를 상대로 국경 폐쇄를 유지한다.

• 코로나 바이러스에 취약한 사람들(주로 노인)은 격리조치를 지속한다.

• 바이러스 검사를 점차 확대해서 5월 11일 이후에는 증상이 있는 사람은 누구나 검사를 받을 수 있게 할 것이다. 마스크 확보에도 최대한 노력할 것이다.

등으로 요약할 수 있고, 소상공인 경제 지원이나 아프리카 부채 탕감 등에 대해서도 이야기했지만 오늘 연설에서 가장 중요한 것은 개학 날짜가 확정됐다는 사실이다. 이 모든 조치의 전제조건은 프랑스인들이 5월 11일까지 지금처럼 격리조치를 잘 이행했을 경우다.

마크롱은 비장하고도 담담한 표정으로 그리고 겸손한 자세로 연설을 이어나갔다. 프랑스의 대처가 늦었으며 마스크나 검사 키트 등이 부족한 사실도 인정했다. 가장 먼저 의료인에게, 두번째로 마트 계산원이나 농업 종사자 등 재택근무로 대체할 수 없는 사람들에게, 세번째로 격리 생활을 이어가고 있는 모든 프랑스인들에게 감사 인사를 전하면서 아직 길이 더 남았다는 메시지를 전했다. 힘겹지만 결국은 이겨낼 것이라는 요지의 연설은 "공화국 만세, 프랑스 만세"로 끝을 맺었다.

초중고교 개학이 5월 11일로 정해진 이유에 대해 마크롱은 이렇게 설명했다. "현재 상황은 아이들의 불평등 문제를 더욱 심화시키고 있습니다. 특히 빈민가나 시골에서 인터넷 접근이 제한된 아이들은 학교로부터 멀어진 상태에서 부모의 도움을 충분히 받지 못하고 있습니다. 주거와 가족 환경의 불평등 문제는 이런 시기에 더욱 악화됩니다. 우리 아이들이 학교로 가는 길을 열어줘야 하는 이유입니다."

이유만 들으면 그럴듯하다. 역시 인권의 나라라 할만하다. 그러나 초등학교 교사인 아내는 위선적이라는 반응을 보였다. 아이들을 학교에 먼저 보내는 것은 경제의 추락을 막기 위해서 아니냐는 것이다. 아이들을 학교에 보내야 부모가 일하러 갈 수 있고, 부모가 일을 해야 경제가 돌아가니까. 담화 이후 여러 교사 노조에서 나온 반응도 대체로 비슷했다. 프랑스 최대의 초등학교 교사 노조인 초등교원노조(Snuipp-FSU) 프랑세트 포피노 사무총장은 "대비책이 부족하다. 교사들의 이해를 얻기 어려울 것이다. 교사가 국가경제라는 재단의 희생물이 된 것 같은 느낌이다."라고 밝혔다. 극장이나 박물관 같은 다중이용 공공시설은 폐쇄하면서 감염 위험이 매우 높은 학교를 개방한다는 건 난센스라는 것이다. 그래서 마크롱의 비장하고 담담한 표정과 겸손한 자세는, 미안하지만 베테랑 배우의 연기처럼 보였다.

다른 정치인들 역시 대개 부정적인 반응을 보였다. 일부 해제이긴 하지만 대책 마련이 미흡하다는 의견이 우세했다. 아직도 마스크를 구하지 못하는 사람이 더 많은 현실을 감안하면 충분히 이해가 되는 반응들이었다.

나도 마음의 준비를 해야 할 시점이다. 아직 한 달이나 더 갇혀 지내야 하는 처지이지만 내심 여름방학까지 격리조치가 이어질지도 모르겠다는 생각을 했다. 어쩌면 다시 일상으로 돌아간다는 사실이 두려워서 그런 바람을 가졌던 것일 수도 있다. 예전과는 어떻게 다른 세계가 펼쳐지게 될까. 나는 이전에 했던 일을 그대로 할 수가 있을까. 할 수 없다면 무엇을 할 수 있을까. 가까운 미래에 대한 불안은 사람을 위축시키는 효과가 있나 보다. 우리의 삶에 거대한 단절이 생겼고, 다시 이어가기 위해서는 이전처럼 하면 되는 게 아니라 특별한 무언가가 필요하게 된 것이다.

내일 아침에 아이들에게 이 소식을 전해주면 좋아할까?

지나 보니 한 달, 금방이다

4월 15일(격리 31일째) 수요일 맑음 바람

집에 갇혀 지낸 지 한 달이 됐다. 프랑스 정부의 이동제한령 공식 발표 시점은 3월 17일이지만 휴교령, 상점폐쇄령, 집회금지령 등은 직전 주말(14~15일)부터 적용됐기 때문에 만 한 달 동안 격리생활 중인 게 맞다. 우리 가족이 마지막으로 다같이 한 시간 이상 외출한 것은 토요일이었던 3월 14일 데메 공원 산책이다. 자전거 타고, 걷고, 탁구 친 것 외에 특별할 것 없는 평범한 주말 산책이었지만, 그 시간이 그립다.

아침식사를 제외하면 아내와 나는 한 달 동안 60여 번의 식사를 준비했다. 바비큐도 있었고, 한식도 있었고, 프랑스식도 있었지만 매번 우리는 뭐 먹지, 를 고민했다. 앞으로 올 한 달도 이 문제에서 자유롭지 않을 것이다. 아내나 나나 한 끼를 때울 수 있는 캡슐이 나오길 간절하게 바라는 스타일의 인간이지만 그럴 리 없다는 걸 알기에 절망스러울 뿐이다. 다만 뚝딱 한 끼 해치울 수 있는 레시피 리스트를 최대한 많이 저장해놓는 수밖에. 그걸 보통은 노하우라고 말한다.

정원 정리가 꽤 진도를 나갔다. 아직도 할 게 남았지만 격리라
는 사건이 없었다면 엄두도 내지 않았을 구역까지 보기 좋게 정돈을 마
쳤다. 정원 구석에 가지치기할 때 나온 잔가지 등을 모아두었는데 이사
온 후 3년 가까이 되는 동안 한 번도 정리하지 않고 쌓아두기만 했다. 나
무 쓰레기를 처리하는 방법은 두 가지가 있다. 시에서 운영하는 쓰레기
장에 버리든지 태우든지. 쓰레기장에 버리기 위해서는 트럭 같은 운반수
단이 있어야 하는데 그러자면 이야기가 복잡해진다. 그래서 두번째 방법
을 쓰기로 했다. 문제는 도심의 가정집에서 나무를 대량으로 태우는 게
불법이 아닌가 하는 것이었다. 연기가 최대한 나지 않도록 마른 나무들
을 적당히 잘라 바비큐 그릴에 넣고 태우고 또 태웠다. 무식한 방법이었
지만 불장난을 좋아하고, 정원도 깨끗하게 할 수 있는 일이어서 일석이
조였다. 다만 작업을 마치자 몸 구석구석에 연기 냄새가 배는 단점이 있
었다. 정원 정리는 아직 끝나지 않았다. 이젠 죽을 듯이 달려들어 하루
에 다 끝내려 하지 않고 아주 조금씩 한다. 처제의 충고대로.

아내는 그동안 방학을 앞두고 밀렸던 자기 반 학생들의 쪽지
시험을 채점하고 성적을 취합해 통지표를 작성하느라 스트레스를 꽤
받았다. 아내가 일하는 학교의 교장은 매일 모든 선생님들과 화상통화
를 하며 회의하길 원했다. 교장을 포함해 전체 선생님 수가 여섯 명에
불과한 초미니 학교인데, 무슨 할 말이 그리 많은지 하루에 최소한 2시

간은 회의를 했다. 아내의 두번째로 큰 스트레스였다. 격리생활이 2주째, 3주째로 접어들면서 아내에게는 요령이 생겼다. 화상통화 앱의 본인 카메라를 꺼놓고 가끔 목소리만 들려주면서 다른 일을 하거나 대충 흘려듣는 신공을 선보이기도 했다. 회의 내용의 90퍼센트는 아내와 아무 상관이 없는 이야기들이었다. 아내는 동료들과 하는 화상회의 말고도 가족들과 화상통화, 친구들과 통화로 많은 시간을 보냈다.

나는 첫째의 방 벽지를 뜯고 새롭게 페인트칠을 하는 공사를 단행했다. 우중충하던 벽이 화사한 색으로 바뀌자 첫째는 방에서 생활하는 시간이 늘었다. 이전에는 숙제를 하더라도 굳이 거실로 내려와 하곤 했는데 지금은 노는 시간이 아니면 방에서 나오지 않는다. 첫째는 격리 기간 중에 열한번째 생일을 맞았다. 방의 페인트칠은 생일 선물이었다. 장인 장모와 처제는 시기가 시기인 만큼 올해는 돈으로 생일 선물을 대체했다. 첫째는 요즘 인터넷 사용을 할 수 있는 시간이 되면 아마존 서핑을 즐기고 있다. 전자책 기기를 갖고 싶어 했으나 기계 가격에 더해 매월 사용료를 내야 한다는 사실을 알고 절망하면서 뜻을 접었다. 대신 1000조각짜리 퍼즐을 찾고 있다. 심란한 마음을 다스리는 데는 퍼즐이 최고지. 격리 기간이 되면서 첫째가 게을리 하는 것은 피아노다. 평소에는 그렇게 빡빡한 일정 중에도 화요일 방과 후에 있는 피아노 수업을 위해 정기적으로 연습을 했는데, 수업이 없으니 연습도 없었다. 피아노 선생님과 화상수업을 하긴 하지만, 직접 보는 것과는 다른 모양이다. 아이들의 하루는 왜 이리 바쁜지.

둘째는 선생님이 주는 숙제는 금과옥조처럼 여기면서 끝까지 하는데 딱, 거기까지다. 어쩌면 담임선생님이 주는 숙제가 아이들이 하기에 적당한 양이어서 그럴지도 모른다는 생각을 했다. 어쨌든 둘째는 글짓기도, 그림 그리기도, 만들기도, 수학 문제 풀기도 선생님이 준 거라는 말만 하면 군말하지 않고 다 해낸다. 숙제가 끝난 뒤 조금 시간이 남아 다른 걸 들이밀면 그때부터는 하기 싫어 죽겠다는 표정이다. 기어이 딴짓을 하면서 그 남은 시간을 때우고, 어느새 자기 방에 가서 레고랑 대화를 나누고 있다. 둘째를 보면 확실히 원격수업은 한계가 있다는 걸 절실히 느낀다. 셋째는? 손가락 빨기를 끊었고, 잘 논다. 사실 아이들은 격리된 생활이 그리 불편하지 않은 것 같다. 매일 엄마 아빠

아이들이 자신들만의 세계로
여행을 떠날 수 있게 해주는 레고와 플레이모빌

와 함께 지낼 수 있으니 학교에 가는 것보다 더 좋다고 생각할 수도 있다. 특히 셋째의 경우는.

마크롱 대통령의 '5월 11일 개학' 발표와 관련한 각종 기사들이 쏟아져 나왔다. 대통령 담화 다음날인 어제 내무부 장관은 "대통령의 발표는 격리 해제가 5월 11일이라는 뜻은 아니다. 격리가 5월 11일까지는 이어진다는 뜻이다. 5월 11일 격리 해제는 목표이지 확실한 것은 아니다."라면서 한 발 뺐다. 오늘은 격리 기간 동안 일을 하는 의료진 등 공무원들에게 최대 1000유로의 보너스를 준다는 기사, 학교가 먼저 개학을 하면 교사들에게도 보너스가 나갈 것이라는 기사 등이 나왔다. 학교를 먼저 격리 해제하는 것에 대한 반대 여론의 주된 이유는 무엇보다 전반적인 대비책이 없는 상황에서 나온 결정이기 때문일 것이다. 국민이 바이러스로부터 안전하다는 느낌을 받을 수 없는 것이다.

독일은 5월 4일 학교 문을 열겠다고 오늘 발표했다. 독일과 프랑스의 다른 점은 검사를 전격적으로 했는가 또는 하고 있는가에 있다. 심지어 독일은 현재도 프랑스와 같은 전면적인 격리조치를 취하지 않고 있다. 자발적 격리에 가깝다. 만약 프랑스도 정부의 코로나 바이러스에 대한 인식이 독일과 같거나 비슷한 수준이었다면, 그래서 철저한 대책이 있다는 게 국민들에게 받아들여졌다면 5월 11일이 아니라 5월 4일에 개학을 해도 그렇게 심한 반발을 사지 않았을 것이다. 아직은 선언과도 같은 대통령의 연설 내용만 있을 뿐 세부사항은 나오지 않아서 말만 무성하다.

"학교에서는 아이들과 교사들이 마스크를 쓰고 수업하나요?", "여름방학은 연기되는 건가요?", "학교에 보내기 싫으면 안 보내도 되는 건가요?" "학생들 모두가 한꺼번에 개학을 하는 게 아니라 순차적으로 학교에 가게 된다는 말도 있던데 어떻게 한다는 말인가요?" 언론 사이트에는 수많은 독자들의 궁금증이 올라오지만 담당 에디터들의 답은 비슷하다. "아직 자세한 것은 알기 어렵습니다. 세부지침이 마련되는 대로 행정부가 발표할 예정입니다."

오늘 현재 피해상황은 전체 확진자 14만7863명, 사망자 1만7167명에 24시간 이내 확진자가 4560명, 사망자가 1438명이다. 여전히 1일 사망자 수는 꽤 높은 수준으로 유지되고 있지만 중증환자가 며칠째 줄고 있고, 오늘은 3월 이후 처음으로 입원환자 수가 감소했다. 중증환자는 지난 4월 8일 7148명으로 최고치를 찍은 뒤 계속 줄어 오늘 현재 6457명이고, 입원환자는 어제보다 513명 줄어 3만1779명이 됐다. 수치가 나아지자 이제 끝이 보이는 게 아니냐는 조심스러운 전망도 나오고 있다.

우리가 겪을 격리생활의 두번째 한 달은 주로 이런 소식들로 이뤄질 것이다. 5월 11일 이후에 어떤 일들이 벌어질 것인가, 프랑스의 코로나 사태는 언제 어떻게 진정될 것인가. 그리고 우리는 뭘 먹지를 고민할 것이고, 가끔 근처에서 산책을 하거나 자전거를 탈 것이고, 아이들은 레고와 플레이모빌을 이용해 자기들만의 세계로 여행을 떠날 것이다. 지나고 보니 한 달, 금방이다.

　　추신. 오늘 읽은 잊지 못할 기사 하나를 기록한다. 대형마트의 판매 실적이 연일 상승곡선을 그리는 가운데, 매출 하락을 겪고 있는 품목이 있으니⋯⋯ 그것은 샴푸였다. 격리 이후 3주간 샴푸 판매량은 전년 대비 21퍼센트 줄었다고 한다. 그러고 보니 프랑스인들이 잘 안 씻는다는 건 그들의 향수 사랑에서 이미 드러난 사실이다. 나갈 일도 없는데 매일 머리 감는 내가 이상한 건가.

격리 중엔 보드게임이지

방학이든 주말이든 격리기간이든, 아이들 모두와 함께 지내는 휴일의 오전은 언제나 쏜살같이 지나간다. 커피 한 잔의 여유 같은 것은, 있더라도 정말 잠깐에 불과하다. 그렇게 숨 막히게 이어지는 리듬이 한 번 꺾이는 순간은 점심을 먹고 난 이후에 찾아온다. 넷째가 요즘 잠이 많이 줄어들었다고는 하지만 점심 이후에는 대체로 잘 잔다. 배가 따뜻해진 넷째를 햇살 가득한 정원에서 조금 놀게 해주면 더더욱 저항하지 않고 이불 속으로 기어들어간다.

1~3번 아이들의 경우 점심이 끝나면 의무적으로 '조용한 시간'을 갖도록 유도한다. 조용한 시간이라 함은 1시간 30분 정도의 일정 시간 동안 할 수 있는 행동에 제한을 둬서 몸도 마음도 편안하게 보내도록 하는 것을 말한다. 이 시간 동안에는 두 가지 외에는 할 수 없다. 자거나 책을 읽거나. 아무리 입을 조그맣게 하고 숙, 솨, 를 하더라도 '조용한 시

간'에는 레고나 플레이모빌을 가지고 놀 수 없다. 각자의 방에서, 각자의 침대에서 조용한 시간을 보내는 것이다. 아내가 정한 룰인데, 본인이 어렸을 때 주말이나 방학이면 지켰던 규칙이기도 하다.

프랑스인이 아이들에게 하는 방식을 가만히 보고 있노라면, 헷갈릴 때가 있다. 이건 아이를 위한 걸까, 어른을 위한 걸까. 지금은 나도 그런 프랑스식 교육에 완벽하게 적응해 있긴 하지만 한 발짝 떨어져서 보면 고개를 갸우뚱거리게 되는 때가 있다. 조용한 시간이 필요한 것은 아이들일까, 어른들일까. 몇 개월 되지도 않은 갓난아이를 다른 방에서 따로 재우는 것은 아이의 독립성을 키워주기 위한 것일까, 부모가 조용히 자기 위한 것일까. 물론 두 가지 중 하나를 골라야 한다면 경험자인 나는 프랑스식을 선택할 가능성이 높다. 일방적으로 희생을 강요하기보다는 부모의 욕망도 주요하게 고려되는 것 같아서다.

이렇게 네 명의 아이들이 '조용한 시간'을 가지면 그때 리듬이 한 번 끊긴다. 나와 아내는 요즘처럼 날씨가 좋을 때는 정원으로 나가 함께 커피를 마신다. 커피를 마시면서 종종 보드게임을 한다. 최근에는 한국에서 보내준 트리오미노스나 내가 좋아하는 루미큐브를 주로 하고 있다. 루미큐브는 한국에서 친구들과 카드로 했던 홀라 게임과 룰이 비슷해 옛날 생각을 나게 하는 점에서 손이 간다. 수포자 중 한 사람이긴 하지만 숫자를 가지고 노는 것은 좋아한다.

아내의 보드게임 사랑은 어제오늘 일이 아니다. 처가에는 보드게임으로 가득 찬 가구가 있을 정도다. 아내에게 보드게임은 그냥 시간을 즐겁게 보내는 도구로서가 아니라 한 가족의 친밀도나 행복지수를 보여주는 바로미터 같은 역할을 하는 듯하다. 보드게임, 하면 왠지 화목하고 북적북적한 분위기가 떠오르는 게 사실이다. 크리스마스나 부활절 때 열리는 아내의 가족 모임에 가면 보드게임이 빠지지 않는다. 여럿이 모이는 경우에는 게임도 여럿 등장한다. 구성원 중 누군가가 새로 산 게임을 가져와서 선보이기도 하는데 가족모임에서 같이 해보고 마음에 들면 따로 구입해서 집에서도 하게 되는 것이다. 그렇게 각자의 목록을 늘려간다.

누군가의 집에 처음 방문했을 때 눈으로 구석구석 스캔을 하는 건 자연스러운 행동이다. 아내의 시선을 꼭 한 번 멈추게 하는 곳은 보드게임을 모아둔 장소다. "아, 이 가족은 이 게임도 하는구나. 저 게임은 없네." 명품 같은 것은 거들떠보지도 않는 아내지만 보드게임에는 욕심을 부리는 편이다. 잊을 만하면 하나씩 사서 모은 게 지금은 우리 집 책장에 수십 개 쌓여 있다. 다행히 나도 보드게임을 좋아하게 돼서 어떤 게임이 요즘 잘 나가는지 안테나를 세우고 보게 된다. 보드게임도 유행이 있고, 스테디셀러가 있다. 크리스마스 선물을 살 때도 우리 가족 모두를 위한 선물로 보드게임 한 개쯤은 구입을 한다. 1년에 최소한 한 개는 생기게 되는 것이다. 한국에 방문할 때도 꼭 구입한다. 같은 게임도 한국이 훨씬 싸다.

나도 처음부터 보드게임을 즐기는 편은 아니었지만, 하다 보니 장점이 많은 것 같아 지금은 팬이 됐다. 보드게임 문화를 곁에서 지켜보고 있자니 좋아하지 않을 이유가 별로 없는 것 같았다. 내가 보드게임을 하지 않았던 것은 주변에 하는 사람이 없었기 때문이었다. 아니, 사실은 나도 틈날 때면 한국식 보드게임을 했었다. 예를 들면 화투(범위를 넓히면 카드놀이도 보드게임의 일종이다. 불어로는 보드게임을 Jeu de société, 즉 여럿이 하는 놀이라고 한다. '보드'가 중요한 게 아니라 '여럿이' 하는 게 중요하다는 말이다.). 친구 K처럼 광팬은 아니지만 옆에서 판이 벌어지면 구경만 하고 있지 않았다. 보드게임을 좋아하는 유전자는 갖고 있었던 셈이다. 생각해보니 어렸을 때는 화투신동이라는 소리도 들었다. 미취학 아동 주제에 오광을 달성하다니, 라면서 가족들이 나를 추켜세웠던 기억도 어렴풋이 난다.

우리 부부가 보드게임을 즐기다 보니 자연스럽게 아이들도 보드게임을 자주 한다. 아이들끼리 하기도 하고, 우리와 함께하기도 한

격리 생활의 루틴이 되어버린
아내와 정원에 앉아서 벌이는 보드게임

다. 그런데 각자 좋아하는 게임이 달라서 게임 선택을 하는 과정에서 이미 화목한 분위기를 깨는 일이 생기기도 한다. 내가 좋아하는 루미큐브를 아이들은 별로 좋아하지 않는다. 다른 부모들의 의견을 종합해보니 아이들이 이기기 쉽지 않아서 그렇다고 한다. 이기기 어려우니 좋아할 리 없다는 것이다. 듣고 보니 당연한 말 같긴 하지만, 게임을 꼭 이기기 위해서 하는 것은 아니다.

아이들은 스토리가 있는 게임을 좋아한다. 오늘도 간식 시간이 지난 뒤 첫째가 제안한 '철도모험 게임'을 우리 부부와 첫째, 둘째 이렇게 넷이 했는데 첫째가 이겼다. 첫째가 제안한 게임을 하면 주로 첫째가 이기고, 둘째가 제안한 게임을 하면 주로 둘째가 이긴다. 이제 아이들이 루미큐브를 안 하려고 하는 이유를 제대로 알 것 같다. 가끔은 게임을 하는 중에 크게 폭발해서 판이 깨지기도 하는데, 첫째와 둘째가 부딪힐 때 그런 일이 발생한다. 이럴 땐 차라리 안 하는 게 화목할 뻔한 경우랄까.

격리생활을 하면서 보드게임을 이전보다 더 자주 하게 됐다. 보드게임이 꼭 화목하게 시작되거나 화목하게 끝나지 않지만, 그걸 하면서 함께 보낸 시간이 기억 속 '화목' 폴더에 남기를 바라는 마음에서. 뭐, 꼭 기억 속에 남지 않더라도 여럿이서 함께 무료한 시간을 달래는 데 보드게임만 한 게 없다.

아뻬로는 계속된다

4월 17일(격리 33일째) 금요일 맑음

날씨가 풀리고, 서머타임이 실시되고, 가끔 바비큐를 굽는 계절이 다가오면 일상에서 빠질 수 없는 절차가 있다. 저녁식사를 준비할 무렵이면 아이들이 와서 묻는다. "아뻬로 할 거예요?" 아내와 나 둘 중 하나가 고개를 끄덕이면, 아이들은 "와" 하면서 척척 아뻬로를 준비한다. 감자칩 같은 간단한 스낵이나 올리브, 말린 소시지 등을 작은 접시에 담고, 석류나 복숭아 시럽을 물에 탄 본인들의 음료를 준비한다. 우리는 냉장고에 넣어둔 시원한 화이트와인이나 로제와인을 꺼낸다. 포르토나 핑크 마티니 같은 베르무스를 잔에 담기도 한다. 갇혀 있어도 아뻬로는 계속된다.

아뻬로(apéro)는 아뻬리띠프(apéritif)를 줄여서 친근하게 부르는 말이다. 아뻬리띠프는 '열다'라는 뜻의 라틴어 aperire가 어원이라고 하는데, 사전적 의미는 입맛을 돋우기 위해 식전에 마시는 알코올 정도 된다. 대표적인 아뻬리띠프 베르무스는 포도주를 기본으로 여러 향료를 넣어 색과 맛을 더한다. 대개 달짝지근한데 도수는 15~20도 사이로 일반 포도주보다 약간 세다. 입맛을 돋우는 용도여서 보통 한 잔, 많으면 두 잔 정도 마신다. 그러나 아뻬로는 그저 식전주라는 말로 간단하게 정의 내릴 수 없는 많은 상징들이 숨어 있다. 적어도 프랑스인에게는 그렇다. 그 안에서 아뻬로 인문학이라 할 정도의 철학을 엿볼 수도 있다.

이동제한령이 내린 뒤 아파트에 갇혀 있는 파리지앵들이 할 수 있는 일은 많지 않았다. 저녁 8시가 되면 테라스에 나와 살신성인 정신으로 환자를 치료하는 의료진을 위해 박수를 치는 일 정도. 독일인은 저녁 7시에 악기를 다루는 사람들이 각자의 집에서 음악을 연주했다. 이탈리아 사람은 베란다에서 노래를 불렀다. 그런데 아파트에 사는 파리지앵의 공동 행동이 하나 더 있었으니 그것이 테라스에 나와 아뻬로 즐기기였다. 각자의 잔에 술을 채워 건너 테라스의 이웃과 원격으로 건배를 하고 아뻬로를 하는 것이다. 만약 이야기를 나눌 수 있을 정도의 거리라면 평소에 친분이 없었더라도 마치 친구가 된 것처럼 수다를 떨었을 것이다.

아뻬로는 식전주 문화를 통틀어 일컫는 말인데, 특히 여름이면 프랑스인들에게 빼놓을 수 없는 일상의 즐거움이 된다. 우리 가족이 이 시기에 갖는 아뻬로의 의미는 일과를 마치고 집에 돌아와 가족들과 가볍게 식전주를 부딪히는 편안함 같은 것이다. 처가가 있는 시골에서 지낼 때는 아뻬로의 의미가 본래와 더 가까워진다. 친구 초대를 무척 즐기는 장인 장모는 아뻬로에 친구들을 자주 초대한다. 장인 장모의 친구여서 우리와는 연배가 있지만, 그런 것은 중요하지 않다. 함께 술잔을 들고 이야기를 나누며 서로의 안부를 묻는다. 그렇게 1시간 넘게 아뻬로를 갖는 경우도 적지 않다. 아뻬로를 위해 모이는 것인지, 모이기 위해 아뻬로를 하는 건지 알 수 없다. 확실한 것은 그렇게 우정을 나눈다는 사실이다. 아뻬리띠프 문화는 날씨와 따로 떼어 생각하기 어렵다. 스페인의 타파스도 아뻬리띠프에서 비롯된 것이다. 반면에, 핀란드나 스웨덴의 아뻬리띠프에 대해서는 들어본 적이 없다.

석양에 즐기는 아뻬로와
우리의 여름을 풍성하게 해주는 각종 아뻬리띠프들

독일은 전반적으로 아뻬리띠프 문화가 확산돼 있는 곳이 아니지만 슈투트가르트에 사는 처제 가족은 예외다. 아니, 지금은 독일인인 아랫동서가 더 즐긴다. 지난해 여름에는 장인 장모와 처제 부부까지 온 가족이 2주 동안 여름휴가를 함께 보냈다. 일주일은 바닷가에서, 일주일은 처가에서 지냈는데 2주 동안 최소한 열다섯 번의 아뻬로는 가졌던 것 같다. 매일 저녁 아뻬로는 기본이고, 아주 가끔은 점심 아뻬로까지. 가장 열성적으로 술을 꺼내고, 간단한 안주를 준비한 뒤 "아라뻬로!(아뻬로 시간이다!)"를 외친 사람이 아랫동서이다. 격리생활 중인 요즘은 화상통화 앱을 통해 가족들이 원격 아뻬로를 즐기고 있다. 이쯤 되면 독일 사위의 아뻬로 사랑이 프랑스 사람을 넘어선 걸로 봐야 한다.

이번 주 들어 우리 부부가 더욱 아뻬로를 즐기고 있는 것은 이유가 있다. 부활절 이전 사순절 동안 일요일을 제외하고는 아뻬로를 하지 않았기 때문에 기다렸다는 듯이 해가 떨어지는 시간만 되면 와인 한 잔을 찾고 있는 것이다. 예수가 고통을 받은 40일을 뜻하는 사순절에 기독교 신자들은 뭔가 자신만의 고행을 한다. 이 기간 동안 일정한 날에 육식을 하지 않는다거나 아예 금식을 하기도 한다. 우리 부부는 사순절이 오면 종종 '금아뻬로'를 선언한다. 부활절이 지난주였으므로 '금아뻬로'의 족쇄도 함께 풀렸다.

아쉬운 점은 우리도 이 도시의 다른 친구들도 모두 갇힌 상태여서 아뻬로 잔은 들었지만 함께 시간을 보내며 우정을 나눌 상대가 없다는 사실이다.

이론의 여지없이, 프랑스에서 아뻬리띠프는 핑계에 불과하다.

......

입맛을 돋우는 것이라고? 딱 거기까지. 핵심은 다른 곳에 있다. 돋우긴 하는데 그 대상이 다르다. 생산성이라고는 한 줌도 찾아보기 어려운 이 아뻬리띠프에 대한 프랑스인의 편집증적 애착은 공동체가 현재를 즐기는 그리고 우정을 다지는 방식인 것이다.

......

그리고 그 잃어버린 시간의 추억 속에, 인생에 특별히 행복했던 시간의 추억 속에 휴머니티에 대한 큰 가르침의 기억이 내게 다가왔다. 행복은 들판에 있지 않고, 소유에 있는 것은 더더욱 아니며 나눔에 있다는 그 가르침.

......

그렇지만 나눔의 순간은 특별한 게 아니라 평범한 삶을 사랑하는 평범한 프랑스인들의 평범한 일상 속에 있는 평범한 관습일 뿐이다.

- 이브 루코트, 《프랑스적 삶의 방식 예찬론》

팔찌가 좀 틀리면 어때

4월 18일(격리 34일째) 토요일 흐림

솔직히 이제는 헷갈린다. 만약 일기를 쓰지 않았다면 지금이 며칠인지, 무슨 요일인지 알기 어려웠을 것이다. 알려고 하지도 않았을지 모른다. 내게 중요한 요일은 딱 하나, 일요일이다. 그날은 슈퍼마켓이 오전만 영업을 하고, 동네 빵집은 하루 종일 문을 닫기 때문이다. 바게트가 떨어지지 않게 하려면 토요일에 꼭 빵집에 다녀와야 하고, 급한 게 있다면 일요일 오전까지는 장을 봐야 일요일 오후에 재료가 없어서 뭔가를 못하는 낭패를 피할 수 있다. 남는 게 시간이라 그렇게 급한 건 사실, 없다. 일요일 오후에 못하면 월요일에 하면 되는 것이다.

최근 들어 날짜 감각이 더욱 무뎌진 것은 격리생활이 한 달을 넘기고 있는 것에 더해 지금이 방학 기간이기 때문이다. 방학이 시작되면서 염려했던 현상들이 나타나고 있다. 아무것도 하지 않는 하루가 빠르게 지나가버리는 느낌. 아이들은 뭔가에 항상 바쁘지만 나도 어쩔 수 없는 꼰대 아빠인지, 아이들이 생산적인 행위를 하지 않으면 그 시간을 버리고 있다고 생각하고 만다. 더군다나 오늘은 토요일이니까, 격리, 방학, 주말이라는 세 가지 휴일 모드가 섞여 격하게 쉬는 날이다. 쉬는 건 매한가지인데 쉬어야 할 이유는 세 가지다.

첫째는 방학 이후 새로운 놀이거리를 찾아내 바쁘게 지내고 있다. 오늘은 브라질리언 팔찌 만들기다. 면으로 된 색실을 모아 매듭을 짓거나 꼬아서 만드는 팔찌를 브라질리언 팔찌라고 부른다. 딸이 즐기는 취미활동 중에는 아내가 어린 시절 즐기던 종목들이 꽤 있다. 보드게임도 비슷한 맥락에서 이해할 수 있다. 아내의 취미 중 대표적인 것이 바로 브라질리언 팔찌이다. 구슬 팔찌나 반지, 귀걸이 같은 장신구 만들기도 있지만 첫째의 취미가 되지는 못했다. 전수를 시도했으나 아직 신체능력이 따라주지 않는 것인지, 흥미를 느끼지 못하는 것인지는 알 수 없다. 장신구 만들기는 공구를 이용해 조이고 비틀어야 하기

아내에 이어 딸까지 대를 잇는 취미가 된 브라질리언 팔찌 만들기

때문에 의외로 물리적 힘이 중요하다.

모든 부모는 자신의 취미를 아이에게 물려주려는 경향이 있다. 더 나아가 이루지 못했던 꿈을 자식에게 투사하여 대리만족을 꾀하기도 한다. 자연스러운 욕구지만 대개는 실패할 확률이 더 높다. 자식은 부모와는 다른 개별적 존재이기 때문이다. 우연히 부모와 자녀의 성향이 들어맞아 같은 것을 좋아할 수는 있지만 부모 자식 관계라고 해서 꼭 그렇지만은 않은 것 같다. 그래서도 내가 원하는 걸 아이를 통해 대리만족하려고 하기보다는 끊임없이 아이가 좋아하는 것을 찾아주는 노력을 하는 편이 더 낫다. 아이가 좋아하는 것을 알아야 거기에 맞는 취미를 슬그머니 제안이라도 해볼 수 있을 테니까.

예를 들어 브라질리언 팔찌는 좋은 예이다. 아내에 이어 딸도 아들도, 실을 엮어 팔찌를 만드는 것을 매우 즐긴다. 반대의 경우도 있다. 내가 어렸을 때 즐기던 야구 놀이는 아무리 아이들이 좋아하도록 유도해 봐도 쉽지 않다. 가족을 이루면 꼭 해보고 싶었던 버킷리스트 중 하나가 잔디밭에서 아이들과 캐치볼을 하는 것이었다. 가끔은 아이들과 캐치볼을 하니까 완전히 실패했다고 보긴 어렵지만, 아이가 먼저 "아빠 야구해요."라는 말을 한 경우는 단 한 번도 없었으니 내 어린 시절 취미가 아이에게까지 이어졌다고도 할 수가 없다. 야구라는 스포츠가 생소한 나라에 살고 있어서 그런 것이기도 하다.

그런데 문득 저 면실로 짠 팔찌를 왜 브라질리언 팔찌라고 부르지, 라는 의문이 생겼다. 위키피디아의 설명으로는 라틴 아메리카 사람들이 전통적으로 착용하던 것이 여행을 통해 세계화했다고 한다. 이 팔찌는 한 번 손목에 감으면 닳아져서 끊어질 때까지 뺄 수 없는데, 닳아져서 끊어지는 순간이 오면 그때 소원이 이뤄진다고 한다. 물론 중간에 일부러 끊으면 소원은 이뤄지지 않는다. 한국에서는 우정팔찌라고 부른다는데, 아마도 팔찌가 끊어질 때까지 우정을 간직하자는 의미일 테다.

첫째는 이제 손이 빨라져서 하루에도 몇 개씩 뚝딱, 만들어내곤 한다. 한동안은 친구들의 생일 선물에 브라질리언 팔찌를 꼭 하나씩 넣어주기도 했다. 이때는 우정팔찌로 쓰였던 것이다. 취미도 사이클이 있어서 뜸하다가 격렬하게 가지고 놀다가를 반복한다. 그런데 격리 중 집안에 있는 여러 놀이거리를 찾던 첫째의 레이더망에 실바구니가 걸린 것이다. 둘째는 이제 걸음마 단계다. 팔찌를 만드는 과정은 매우 단순하고 반복적인데, 이런 작업의 특성상 중간에 꼭 집중력이 흐트러질 때가 오기 마련이다. 그래서 둘째의 팔찌에는 종종 패턴이 튀는 부분이 있다. 두 번 매듭 해야 할 곳에 한 번만 했다든가, 아예 빼먹고 다른 색으로 넘어갔다든가 한 경우다. 매듭을 지을 때 강하게 당기기 때문에 실수를 하면 돌이킬 수가 없다. 실수가 그대로 팔찌에 각인되는 것이다. 그게 아이들이 직접 만드는 브라질리언 팔찌의 매력이기도 하다.

격리가 우정을 가를 순 없어

4월 19일(격리 35일째) 일요일 흐림

우체부의 공식 휴무일인 일요일인데도 아침부터 두 가지 소식이 날아들었다. 아내의 휴대전화에는 "둘째를 위한 소포가 댁에 방금 도착했어요. 소포가 우편함에 잘 들어가지 않네요."라는 문자가 도착했다. 둘째의 절친 마튜의 아버지가 보낸 문자였다. 문자를 확인한 둘째는 잽싸게 대문 옆 우편함으로 달려나갔다. 둘째는 한 손에 소포를 들고 집으로 들어오며 함박웃음을 지었다. 마튜의 아버지가 둘째에게 주는 소포를 직접 집 앞 우편함에 놓고 간 것이다. 일기를 훑어보니 둘째가 마튜에게 마이쮸를 넣어 소포로 보낸 것이 2주 전이다. 2주 만에 마튜의 답장이 도착했다.

귀여운 놈들. 마튜는 카드의 한 면을 커다랗게 쓴 WOW 글자 주변에 화려한 스티커로 장식하고 다른 한 면에 글을 적었다.

"안녕 이안, 나의 친애하는 이안에게. 잘 지내고 있지. 나도 잘 지내. 그런데 좀 심심해. 사탕은 너무너무 맛있었어. 껑땅이 너한테 고맙다는 말 전해 달래. 나는 몇 개 더 먹고 싶어. 네가 사탕을 주면 내가 돈을 줄게! 물속의 (여자) 닌자야. (좋거나) 또는 (나쁜) 격리 생활되길 빌게. 마튜가. 참, 즐거운 부활절 보내."

편지글 사이사이에도 아끼고 아꼈을 스티커들이 붙었는데, '친애하는'에 강조의 뜻으로 번개 표시를 붙여둔 것이 눈에 띄었다. 첫째가 친구들과 엽서나 편지를 주고받는 것을 자주 봐왔지만 '친애하는'이라는 표현을 쓰는 것은 본 적이 없다. 아내에게 물어보니 저 나이 때 어린아이들은 잘 쓰지 않는 게 맞다고 했다. 그러면서 "하하. 마튜 걔라면 좀 어울리긴 하네."란다. 일요일 아침을 환하게 해준 소식이었다. 아마도 부활절 전에 부치려고 편지를 썼는데 우체국까지 가는 게 귀찮아 차일피일 미루다 마튜 아버지가 "그냥 내가 직접 가져다주고 오는 게 빠르겠다."라면서 오늘 아침 우리집 앞 우편함에 놓고 간 것으로 예상해볼 수 있

'나의 친애하는 이안에게'로
시작하는 마튜의 편지

다. 아쉽게도 마이쮸는 벌써 바닥이 드러났다. 대신 둘째는 브라질리언 팔찌를 만들어 마튜에게 답장을 해야겠다고 했다. 격리가 우정을 가를 수는 없는 일이니까.

마튜의 편지를 보며 한바탕 웃고 떠들다 우유를 급히 사야 해서 슈퍼마켓에 들렀는데, 이번엔 내 휴대전화에서 문자 도착음이 들렸다. 아내 사촌들이 모인 단체 대화방이었다. 앙리 고모부의 큰아들 기욤이 보낸 문자였는데, 오늘 오전 11시에 아버지의 병자성사를 할 예정이니, 시간이 되는 사람들은 같은 시간에 기도해달라는 것이었다. 며칠 전에 쓴 문자에서 기욤은 앙리 고모부의 상태가 나빠지지도, 좋아지지도 않고 있다고 전했었다. 가톨릭에서 병자성사는 중증 환자를 대상으로 하는 의식이어서, 나는 곧 임종을 맞을 사람에게 주는 것으로 이해하고 있었다. 집에 와서 아내와 이야기를 해보니 꼭 그런 것은 아니라며 안심을 시켰다. 우리 가족은 11시에 맞춰 앙리 고모부를 위해 기도했다.

마지막으로 들은 오늘의 소식은 인터넷에서 접한 프랑스 정부의 공식 발표 내용이다. 총리와 보건부 장관이 오후에 기자회견을 했는데, 지난번 대통령이 5월 11일 학교 등 격리 부분해제 예정을 발표한 후에 설만 무성하던 터라 큰 관심을 끌었다. 여전히 자세한 내용은 없었다. 가장 핵심은 "4월 말에 구체적인 격리해제 방안을 발표할 예정"이라는 말이었다. 현재 하루 2만5000건의 검사를 실시하고 있는데, 5월 11일쯤이면 일주일에 50만 건 정도를 할 수 있도록 하겠다는 것, 모든 사람이 마스크 착용을 하도록 할 것이며, 특히 공공 교통수단에서는 의무화하겠다는 것, 현재 일주일에 800만 개 정도 생산하고 있는 마스크를 주 1700만 개까지 늘릴 예정이라는 것 등을 발표했다.

총리가 강조한 격리해제의 3대 조건은 1. 사회적 거리두기를 비롯한 철저한 자기관리, 2. 신속한 검사, 3. 감염자의 격리조치였다. 한국 사정을 잘 알고 있는 나로선 늦어도 정말 한참 늦다는 생각이 들 수밖에 없었다. 총리는 이제까지 약 한 달간 이어진 격리의 효과로 감염자 1인당 재감염 수치를 0,6으로 낮췄다고 강조하면서 "바이러스와 함께 사는 법을 배워야 할 것"이라고 말했다. 즉 예방수칙을 생활화하라는 뜻인데, 스킨십이 각별한 프랑스인이 잘 지킬지는 미지수다. 벌써 프랑스인 사이에서는 "이 정도 격리돼 있었으면 바이러스가 없는 게 확인됐다."면서 정부 조치를 무시하는 분위기가 있기 때문이다. 〈르몽드〉는 바닷가에 나와서 피크닉을 즐기고 있는 가족 또는 친구 단위의 프랑스인 무리를 취재해 기사를 실었다. 바닷가에서의 피크닉은 예외조항에 없는 금지사항이다.

휴교령 해제와 관련해서 총리는 격리조치 이전처럼 25~30명가량의 학생들이 한 반에서 공부하는 방식이 아닐 수 있다는 언급을 했다. 그 수가 한꺼번에 같은 공간에서 지낼 경우 사회적 거리를 유지할 수 없기 때문이다. 오전 오후나 일주일 단위로 교차 수업을 진행할 수 있게 반을 둘로 나누는 방안도 있을 수 있다고 했다. 교사인 아내는 그렇게 된다면 한결 수월해질 것 같다는 반응을 보였다. 내 동선에도 큰 변화가 불가피하게 됐다. 격리 이전과는 다른 새로운 세상이 열리게 될 것 같다.

여섯째 주

결국 그 지긋지긋한 휴가에서 벗어나는 유일한 방법은
상상 속에서 다시 기차를 달리게 하고,
끝내 울리지 않는 초인종의 반복되는 벨소리를 떠올리며 그 시간을 채워가는 것이었다.
–알베르 카뮈, 《페스트》

아독 선장이 누군지 몰라서

　　장 보러 다녀오는 날은 종종 아내에게 점심 준비를 하지 말라고 한다. 간단하게 조리할 수 있는 것을 사서 장에서 돌아오자마자 바로 먹으면 아내가 아이들 넷과 혼자 집에 있는 시간을 좀 더 자유롭게 사용할 수 있다. 오늘은 오븐에 10분 정도 구워서 먹을 수 있는 피자를 두 판 사 왔다. 슈퍼마켓에서 산 그 피자 위에 모차렐라와 쉐브르, 에멘탈 등 여러 치즈를 더 얹으면 꽤 두꺼운 피자가 된다. 캬트르 프로마주(네 개의 치즈)를 샀는데 거기에 세 가지를 더 얹었으니 일곱 개의 치즈네, 라고 아재 개그를 던졌다. 아내는 우리가 따로 넣은 치즈 종류도 원래 있던 네 개에 들어가는 치즈일 걸, 한다. 오늘따라 일찍 점심을 마친 넷째는 재우고, 다섯이 식탁에 둘러앉아 피자를 먹었다.

　　첫째와 나는 주로 한국어로 대화를 한다. 그렇게 하려고 노력한다. 왜 그 단어가 내 입에서 나왔는지는 정확하게 기억이 나지 않지만 건너편에 앉은 첫째와 이야기를 하는 과정에서 내가 "뭐라고?"라는 말을 하게 됐다. 그리고 몇 번을 반복했다.

뭐라고? 뭐라고? 뭐라고?

아마 두 아들놈이, 특히 말이 많은 셋째가 내 옆에서 시끄럽게 해서였을 것이다. 나의 3연속 '뭐라고'를 듣자 아내가 말했다.

아내: 뭐라고? 물아고? 물 아 고프르? 꼭, 물 아 고프르라고 말하는 것 같아.
둘째: 아독 선장이 하는 말?
첫째: 땡땡에 나오는 그 선장?
아내: 그래 맨날 뭐라 뭐라 하면서 "물 아 고프르" 그러잖아.

점심식사에서 오가는 가족의 대화는 내 세계를 벗어나고 있었다. '물 아 고프르(Moule à gaufres)'는 와플 기계에 들어가는 틀을 말하는데, 프랑스의 유명 만화인 〈땡땡의 모험〉에 나오는 다혈질 아독 선장이 화가 났을 때 내뱉는 여러 욕설 중 하나다. 단어의 원래 뜻과는 아무 상관없이 제기랄, 젠장, 빌어먹을 등으로 이해하면 되는 숙어 같은 단어다. 물론 일상생활에서 사용되는 것은 아니어서 〈땡땡의 모험〉을 모르는 사람은 전혀 이해할 수 없는 단어다. 그냥 만화 주인공 땡땡을 알아서 되는 게 아니라 거기 등장하는 아독 선장의 캐릭터를 모르면 안 되는 경우다. 저걸 이해하기 위해 아내에게 몇 번을 꼬치꼬치 물어야 했다.

　　　종합병원 간호사인 아내의 막내이모는 아들이 넷이다. 막내 뤼도빅이 우리 첫째와 다섯 살 차이가 난다. 지금 고등학생인데, 나는 뤼도빅이 다섯 살 때 그 녀석을 처음 봤다. 파리 시내에 살던 신혼시절, 우리는 주말이면 종종 파리 외곽에 있는 막내이모 집에 놀러 가곤 했다. 막내이모는 아내를 많이 예뻐했다. 동생이 없는 이모는 아내를 동생처럼, 언니가 없는 아내는 이모를 언니처럼 대하는 것 같은 느낌을 받았다. 그 집에서 나는 주로 뤼도빅이랑 놀았다. 다섯 살짜리와 재미있게 놀기 위해서 불어를 유창하게 할 필요는 없었다. 그래서 뤼도빅은 지금도 나를 좋아한다. 그때 나는 뤼도빅에게 이런 말을 했다. "너도 몇 년 지나면 내가 못 알아듣는 말을 하겠지."

다혈질 아독 선장이 나오는
프랑스에서 유명한 만화 〈땡땡의 모험〉

나는 우리 아이들과도 그런 순간이 올 것을 염려하고 있다. 식탁에 둘러앉아 모두가 대화를 하는데 나만 못 알아먹고 혼자만의 세계에 갇혀 있는 순간 말이다. 오늘 점심은 그 전조를 보는 것 같아 섬뜩했다. 〈땡땡의 모험〉은 우리나라로 치면 〈아기공룡 둘리〉나 〈로보트 태권브이〉 같은 거다. 그 역사나 마니아층의 충성도는 〈땡땡의 모험〉이 월등하지만, 한국에서 어린 시절을 보내지 않고 어린이 문화를 모르면 둘리를 알기 어렵듯, 프랑스 초중고교 시절을 관통하는 대표 문화 중 하나가 땡땡의 존재라는 점에서 비슷한 위치를 차지하고 있다. 내가 땡땡의 열혈 마니아가 되지 않는 한 나는 오늘 점심의 대화에 절대 낄 수가 없다. 그런데 프랑스 만화는 글자가 너무 많다.

내 꿈은 아이들과 한글로 편지를 주고받는 것이라고 오래전부터 말해왔고, 지금도 그 꿈은 변하지 않았다. 한국말도 잘 안 하려고 하는 아이들이 한국어로 글을 쓰고 읽는다는 것은 거의 기적에 가까운 일이 되어 가고 있지만 아직 꿈을 버리지는 않았다. 얼마 전 누나는 초등학교 6학년인 아들이 자형 생일에 '사랑하는 아빠에게'로 시작하는 장문의 편지를 전달하는 사진을 대화방에 올렸다. 부러웠다. 조카는 게다가 글씨도 또박또박 잘 쓴다. 내게는 일어날 수 없는 일이라는 생각에 더 그런 마음이 들었다.

아무리 불어로 일상생활을 이어가는 데 큰 어려움이 없다지만, 프랑스 친구나 가족들과 오랫동안 여러 주제로 대화를 나눌 수 있다지만, 상점이나 공공기관에서 문제가 생겼을 때도 곧잘 전화나 문자로 항의하고 문제를 해결하기도 한다지만, 나는 이 나라에서 이방인일 뿐이다. 조금 더 냉정하게 말하면 2등 시민이다. 구직활동을 하더라도 내가 한국에서 찾는 구인공고와 여기에서 찾는 구인공고의 종류는 다르다.

하지만 내가 이방인이라는 사실이 나를 절망에 빠지게 하지는 않는다. 그런 줄 알고 있기 때문이다. 이방인에서 벗어나려고 노력하는 순간 더 힘든 일상을 보내게 될 확률이 크다. 이방인도 오래 하다 보면 할 만하다. 나쁜 점만 있는 것도 아니다. 더구나 나는 내가 이방인이든 2등 시민이든 나를 믿어주고 사랑하는 가족이 있지 않은가. 거짓말처럼, 저녁시간이 되고 아이들이 잠자리에 들었을 때 아내가 첫째의 방에서 나오면서 노트북 앞에 앉아 있던 내게 카드를 불쑥 건넸다. "나의 정말 친애하는 부모님께"로 시작하는 첫째의 편지였다. 그냥 사랑하는 마음에 썼다고, 당신들은 나의 가장 훌륭한 기준이며 나를 행복으로 인도하는 등대라고 적혀 있었다. 물론 불어로. 한글 편지 같은 것은 사실 그리 중요하지 않다. 꿈은 안 이뤄졌을 때 더 간절하니까.

나만 너무 격리돼 있나?

4월 21일(격리 37일째) 화요일 흐림

전자책 리더기 사는 걸 포기한 첫째는 아마존에서 며칠 헤매더니 결국 퍼즐을 골랐다. 장인 장모가 생일선물을 대신해 보내준 돈으로 500조각과 1000조각 퍼즐 두 개를 주문했다. 하나는 지난주 토요일 도착 예정이었고, 다른 하나는 5월 중순께에 도착한다고 안내 메일이 왔다. 첫째는 지난주 금요일부터 우편함 곁을 뱅뱅 돌면서 열어보고 또 열어봤다. 나는 첫째에게 지금 배달이 평소처럼 되질 않으니 토요일로 예고됐어도 더 늦을 거야, 라고 말했다. 토요일 오후 늦게까지 끝내 퍼즐이 도착하지 않자 그때서야 포기하는 것 같았다. 내가 몇 번이나 토요일은 배달을 하더라도 오전에 끝나, 라고 말했지만 오후까지도 내내 큰길가를 힐끗 쳐다보는 것 같았다.

그렇게 첫째가 오매불망 기다리던 500조각짜리 퍼즐이 오늘 아침에 도착했다. 첫째는 환호성을 지르며 바로 포장을 뜯었다. 내 기억에 첫째가 혼자서 저렇게 복잡한 퍼즐을 해본 적은 없는 듯하다. 그런데 역시나 퍼즐을 풀어놓으니 아내가 더 신나서 퍼즐을 맞추고 첫째는 보조 역할을 하고 있었다. 다음 퍼즐이 올 때까지 저 퍼즐로 잘 버텨야 할 텐데. 우리는 무료한 시간을 달랠 또 하나의 놀이를 찾았다.

격리가 시작될 즈음 차 앞바퀴에 실바람이 새는 걸 알게 돼 계속 성가시던 차였는데, 자동차 정비 체인점에 전화를 걸었더니 직원이 응대를 했다. 그냥 한 번 해본 것이어서 나는 조금 당황했다. "오오 오늘, 일 하나요?" "예. 무엇 때문이죠?" 상황을 설명하고 약속을 잡은 뒤 정비소에 다녀왔다. 바퀴에 못이 여러 개 박혀 있었다. 고쳐서 사용할 수 없을 정도로 구멍 크기가 크다고 했다. 새 타이어를 주문하고 돌아왔다. 그런데 도대체 언제부터 영업을 하고 있는 거냐고 물었더니, 지난주 화요일부터 문을 열었다고 했다. #자동차 정비#영업 중#격리 기간#블루아 등의 단어로 인터넷 검색을 해봤지만 어디가 영업 중이고, 어디가 영업을 하지 않는지 알 수 없었다. 정부 사이트를 뒤져봐도

블루아 시청에서
시민들에게 천마스크를 무료로 배포하고 있다.
(블루아 시청 홈페이지)

그런 설명은 없었다. 왠지 우리만 왕따를 당하는 것 같은 생각이 들어 기분이 썩 좋지 않았다.

오후에는 가족 모두가 집 앞으로 산책을 다녀왔다. 원래 가던 길과는 반대쪽으로 다녀왔는데, 그 길 중간에는 시에서 운영하는 동네 문화센터 비슷한 게 있다. 폐쇄된 센터 정문 앞에 몇 명의 시민이 줄을 서 있었다. 가만히 살펴보니 마스크를 주고 있는 것 같았다. 다가가서 물어봤더니 마스크를 무료로 나눠주는데 인터넷으로 신청을 해야 받을 수 있다고 했다. 도시는 뭔가 바쁘게 돌아가고 있는데 나만, 우리 가족만 지나치게 격리상태에 있는 것 아닌가 하는 생각이 들었다. 집에 돌아와 또 인터넷에서 찾아보니, 블루아 시가 벌이는 캠페인의 일환이었다.

시민들의 기부를 받아 마스크를 무료로 나눠주고 있었다. 캠페인에 참가하고 싶은 시민은 면으로 된 천을 기부하거나, 천을 크기에 맞게 잘라 기부하거나, 재봉틀을 사용할 줄 아는 재능을 기부하거나, 이렇게 만들어진 면 마스크를 받아갈 수 있었다. 인터넷에는 면 마스크를 만드는 과정도 자세하게 설명이 돼 있었다. 비말 전파를 막기 위해 최소한 세 겹으로 만든다고 강조했다. 캠페인에는 10여 개의 회사와 500여 명의 시민이 참여 중이었다. 나도 인터넷에 접속한 김에 캠페인에 참여했다. 마스크를 무료로 받아가는 역할. 한국에서 보내준 마스크가 있어서 굳이 필요하진 않았지만 어떻게 생겼는지 보고 싶은 호기심에 한 개만 신청했다.

슈퍼마켓에서 마주치는 시민들 중에 아직도 마스크를 쓰지 않은 사람이 절반은 돼 보이는데, 마스크를 쓴 사람들도 공산품이 아닌 경우가 허다했다. 가까이에서 보면 허술하기 짝이 없어 보이는 '마스크처럼 생긴 천 조각'인 경우가 꽤 있었다. 마스크 부족 현상이 조만간 해결되기 어려운 일상적 결핍 요소가 된 지 오래여서 각자 자구책을 찾고 있는 것이다. 블루아 시가 벌이는 캠페인은 그 자구책을 공동체 차원으로 끌어올린 것이라고 볼 수 있다. 궁지에 몰리면 뭐든 하는 법이니까. 다만 우리는 왜 모르고 있었지, 하는 의구심만 들 뿐이었다. 아니, 다른 사람들은 어떻게 알았지, 라고 묻는 게 더 합리적인가.

　　교육부 장관이 5월 11일 개학에 대한 계획의 일부를 오늘 발표했다. 그러면서 "정해진 것은 아니"라는 말을 덧붙였다. 그럼 정해졌을 때 발표하시지, 라는 생각이 들었지만 그만큼 궁금해 하는 사람들이 많아서 그런 거라고 이해했다. 블랑케 장관의 발표에 따르면 '점진적' 개학은 기본적으로 한 교실에 15명 이상의 학생이 들어가지 않도록 하는 것이 골자다. 그래서 첫 주인 5월 11일의 주에는 유치원 3학년, 초등학교 1학년, 초등학교 5학년이 등교를 하고, 5월 18일의 주에는 중학교 1학년과 4학년, 고등학교 2학년과 3학년이 등교를 하게 된다. 개학 후 셋째 주인 5월 25일에는 모든 학생이 학교에 간다. 우리집의 경우는 세 명이 각각 일주일에 한 명씩 연관돼 있다. 첫째 주에는 유치원 3학년인 셋째가, 둘째 주에는 중학교 1학년인 첫째가, 셋째 주에는 초등학교 4학년인 둘째가 개학을 맞이하게 된다. 더 이상의 자세한 설명은 없었다.

아이들 학교에서도 안내 메일이 왔다. 5월 개학이 되면 아이들의 마스크는 학교에서 나눠준다고 한다. 이전과 달리 학부모의 교내 진입을 제한할 것이며 이에 따른 혼잡을 피하기 위해 학년에 따라 하교 시간을 조정할 것이라고 했다. 15명 이하로 어떻게 반을 조정하게 될까, 쉬는 시간도 따로 갖게 될까, 수업 시간에 마스크를 착용할까? 궁금한 것 투성이지만 실제 개학이 이뤄지기 전에는 알기 어렵다. 초유의 일이어서 참고 사례를 찾을 수 없다는 점이 학부모들을 더 불안하게 만드는 요소일 것이다. 방역 모범국이라던 싱가포르는 개학 후 2차 대감염이 일어나 다시 휴교령을 내렸다고 한다. 아내의 동료 교사들 사이에서 우스개처럼 문자로 돌고 있는 블랙코미디가 어쩌면 다가올 이 나라 교실의 모습을 잘 묘사하고 있는지도 모르겠다.

자, 받아쓰기 시작할게요. 케빈. 칠판에 날짜를 쓰렴. 장갑 꼈니? 그냥 새 분필을 사용하는 게 좋겠다. 마빈, 팔에다 대고 기침하라고 했잖아. 오늘 아침부터 마스크 세 개째다. 가서 손 씻어. 비누로 빡빡 씻어. 그래 전에 비누 없었지. 여러분 날짜 다 썼어요? 왜 또 시리엘, 무슨 말인지 하나도 안 들려. 그 마스크 때문에. 발음을 정확히 하라고. 볼펜이 없다고? 연필로 써. 연필이 없다고? 사인펜으로 써. 그냥 아무거나 잡고 써. 안 돼 줄리, 볼펜 빌려주면 안 돼. 여러분 오늘 아침에 등교하자마자 코로나 수칙 다 읽었죠? 거기 케빈, 마스크! 마빈, 손 씻었어? 뭐 화장실에 줄이 길다고? 세면대 하나에 학생 수가 60명이니 당연히 사람이 많겠지. 좋아, 그냥 손세정제 써라. 이번에는 혀로 핥으면 안 돼. 어디까지 했더라. 그래, 날짜였지. 다 준비됐어요? 뤼카, 이게 마지막 경고야! 마스크 제대로 써. 마스크 가지고 지우개로 새총 쏘지 마. 다음에 또 그러면 압수야. 아니 안 되는구나. 뭐 벌써 쉬는 시간이라고? 아니야, 지금 10시 10분이니까 1학년들 쉬는 시간이야. 우리는 10시 25분이다. 여러분은 받아쓰기하고, 자로 밑줄 그으세요. 자 소독하는 것 잊지말고. 모하메드, 왜? 연필심이 부러졌다고? 가서 깎아. 연필깎이가 없다고? 내가 빌려줄 수도 없는데, 코로나 수칙이야. 받아쓰기 시작하자. 다 준비됐지. 마빈, 기침은 팔에다! 그렇게 바로 코 후비지 말라니까. 세정제로 씻어. 케빈 마스크 써. 라이안, 마스크는 해적 머리띠가 아니야. 압수…… 자, 받아쓰기 하자. 줄리, 마스크! 마빈, 기침! 사라, 세정제! 야스민, 팔에! 아, 쉬는 시간이라고. 자, 한 줄에 한 명씩 앞사람과 간격은 1미터 이상이고…….

격리가 끝나고 난 뒤

4월 22일(격리 38일째) 수요일 맑음

어제까지 며칠 동안 흐리던 하늘이 맑게 개었다. 그날의 날씨에 따라 우리 가족의 동선은 확연하게 달라진다. 해가 나온 날은 정원에서 보내는 시간이 많아지고 식사도 웬만하면 집 안이 아닌 테라스나 정원에서 한다. 아이들도 방에서 꼬물거리며 레고놀이를 하기보다는 정원에서 칼싸움이나 공놀이 같은 걸 하며 논다. 오랜만에 따뜻한 햇볕이 내리쬔 오늘은, 날씨만큼이나 특별한 날이다. 넷째가 오늘로 한 살이 됐다. 아침식사 때 넷째를 위해 축하카드를 만들어온 첫째는 오전 내내 생일용 초콜릿 케이크를 만드느라 시간을 보냈다.

점심을 먹은 뒤 첫째가 만든 초콜릿 케이크에 초 하나를 꼽고 생일 축하 노래를 불렀다. 첫돌인 만큼 돌잡이도 했다. 넷째는 쌀과 만년필과 지폐와 실뭉치 가운데 실을 선택했다. 실을 고른 것은 넷째가 유일했다. 넷째와 보낸 1년이 빠르게 머릿속을 스쳐 지나갔다. 이제 진짜 마지막 아이라는 생각에서인지 약간은 특별하게 대해지는 게 사실이었다. 1~3번 아이들에게 미안하지만, 아내와 내가 넷째를 보며 왜 애는 이렇게 귀엽지? 라는 식의 대화를 나눈 게 한두 번이 아니다. 그런 대화의 끝은 항상 그러니까 5남매의 막내인 너는 얼마나 귀여움을 받았겠냐, 라는 아내의 멘트다.

지난 1년 동안 넷째는 큰 탈 없이 건강하게 자랐다. 운이 좋아 6개월째였던 지난해 10월부터는 일주일에 4일 보육원에도 가게 됐다. 보육교사들이 까다롭지 않은 아이라며 좋아해준다. 넷째가 보육원에 가면서 우리 부부는 약간의 자유를 얻었고, 넷째는 콧물을 얻었다.

돌을 맞은 넷째는 돌잡이에서
네 아이 중 유일하게 실을 집어 들었다.

단체 생활을 하면 피할 수 없는 과정이라는 걸 알고는 있었지만, 막상 닥치면 언짢은 마음을 어쩔 수 없다. 넷째는 이가 여덟 개 났고, 이제 겨우 네 발로 걸을 수 있게 됐으며, 지지대가 있으면 가끔 두 발로 서기도 한다. 낮잠이 약간 줄긴 했어도 여전히 잠은 충분히 잔다. 격리생활 전과 크게 달라진 점은 부쩍 소리를 많이 낸다는 것이다. 가끔은 셋째보다 더 시끄러울 때도 있다. 셋째와 넷째가 동시에 입을 벌리면 감당하기 어려울 정도다. 넷째는 앞으로 두 발로 걷고, 콧물을 혼자 풀고, 의미 있는 말을 하고, 우리와 같은 식사를 하게 될 것이다. 지금처럼 건강하길 바라는 마음뿐이다.

꼭 넷째의 생일을 기념하기 위한 것은 아니었지만 오늘 우리는 일탈을 시도했다. 갇혀 지낸 지 거의 40일 만에 가족 나들이에 나선 것이다. 아이들은 내가 장 보러 갈 때 가끔 따라 나온 적이 있지만 아내는 차를 타고 이동하는 게 격리 이후 처음이었다. 그래 봐야 집에서 2.5 킬로미터 떨어진 곳이었다. 친하게 지내는 집의 엄마들끼리 통화를 하다가 이런 결정을 내리게 됐다. 아내는 그 집 엄마와 친하고, 큰 딸들은 서로 절친에다 같은 반이다. 를롱네는 루아르 강변에 사는데 주 출입문은 대로변이지만 반대편 강 쪽으로 쪽문이 있어서 강변 산책로와 곧바로 통한다. 를롱네는 주택가에서 강물까지의 공간에 형성된 풀밭지대를 넓은 정원처럼 이용하며 지낸다. 강변 산책로가 관통하는 그 풀밭지대 어딘가에는 를롱네 아이들이 만들어놓은 아지트도 있다.

차를 강변 산책로 입구 근처에 주차하고 산책로로 내려가 걷다가 그 집에 가서 간식 시간을 함께 보내고 오는 것, 이 오늘의 미션이었다. 아내는, 너무 먼 것 아닌가? 도중에 잡히면 어떻게 하지? 라면서 불안해했다. 불안해할 거면 약속을 하지 말든가, 약속을 했으면 그냥 가든가, 하자고 말해줬다. 법규 위반이지만 좋은 날씨에 나들이를 가는 기분이 나쁘지 않았다. 나는 시민들에게 충분한 양의 정보를 친절하게 제공하지 않는 프랑스 정부에 복수한다는 생각으로 코로나 수칙을 살짝 위반하기로 했다. 하필이면 어제, 우리만 지나치게 격리상태에 있는 것은 아닌가 하는 생각이 들었던 것은 우연이 아니었을지도 모르겠다.

매일 집 근처에서만 산책을 하니 식상해서 루아르 강변을 따라 걷고 싶어서요, 라고 경찰 단속에 걸렸을 경우 변명을 하자고 입을 맞췄다. 하지만 격리 이후 그렇게 자주 장을 보러 갔어도 단속된 적이

일탈을 감행한
우리 가족의 루아르 강변 산책

한 번도 없었던 것은 물론, 단속하는 걸 내 눈으로 본 적도 없었다. 그렇게 안심을 시켰지만 우리집에서 를롱네까지 가는 4분 내내 아내의 불안을 잠재울 수 없었다. 정말 최악의 경우 벌금 135유로다, 라고 말하자 그렇네, 하며 좀 안심하는 것 같았다. 오늘 우리가 어기게 될 수칙은 크게 두 가지였다. 집에서 1킬로미터를 벗어나는 것과 1시간 이상 집 외의 장소에서 야외활동을 하는 것. 그 밖에 너무 당연해서 예외조항에 없는 것이지만 두 집 아이들이 엉켜서 놀며 사회적 거리를 무너트릴 거라는 건 자명했다. 다만 우리는 만나고 헤어질 때 예전처럼 볼뽀뽀를 하지 않는 것으로 최소한의 시민정신을 발휘했다.

교사인 를롱네 엄마가 이번 부활절 방학이 끝나면 아내와 같은 학교로 복직해 함께 근무하게 된 터라 할 말이 많았던 모양이다. 드디어 얼굴을 보고 이야기를 나눌 수 있게 된 첫째와 콩스탕스는 몇 달 만에 훈련소 면회장에서 만난 친구들처럼 꼭 붙어서 대화를 나눴다. 무슨 할 얘기가 그리 많은지. 를롱네 2~4번과 우리집 2~3번 총 다섯 명은 집 마당과 산책로 풀밭지대를 오가면서 전쟁놀이에 여념이 없었다. 집에 올 때 확인해보니 둘째와 셋째의 티셔츠에 땀이 흥건했다. 를롱네 5번과 우리 4번은 어른들이 있는 집 마당에서 놀았다. 코로나를 잊게 만드는 티타임다운 티타임이었다. 우리의 일탈은 총 2시간 30분 정도 소요됐다.

하지만 그 시간이 예전처럼 평온하기만 했던 것은 아니다. 를롱네 집에 있으면서 우리는 옆집에 우리가 왔다는 사실이 알려지지 않게 하려고 조심을 했는데, 예를 들면 우리 아이들의 이름을 부르지 못하도록 저지했다. 아이들끼리 를룽네 아이들 이름이 아닌 이름을 부른다는 것은 방문객이 있다는 걸 뜻하기 때문이었다. 또 강변 어딘가에서 피크닉을 하던 사람들을 이웃 누군가가 신고해 단속했다는 소문도 있었다. 하필 바로 옆집 가족의 남편이 경찰이라고 했다. 아내는 비밀회동 중인 레지스탕스나 조선시대 천주교도처럼 가슴을 졸이는 것 같았다. 격리가 해제된 5월 11일 이후의 삶이 이런 모습에 가깝게 되는 건 아닌지 당황스러웠다. 코로나 바이러스가 인간 사회에 남긴 상처는 감염되고 사망한 사람들의 숫자만이 아니었다. 서로 눈치 보고, 서로 의심하고, 서로 감시하는 분위기를 감당하는 건 격리생활보다 훨씬 더 힘든 일이 될 것 같았다.

치통, 휴교령 그리고 퍼즐

4월 23일(격리 39일째) 목요일 맑음

어제 오후부터 시작된 치통이 서서히 강도를 더하더니 새벽쯤에는 잠에서 깰 정도로 나를 괴롭혔다. 아내가 가져다준 진통제를 먹은 뒤로 다시 잠이 들긴 했는데 아침에 일어나 보니 어제와 다르게 통증이 있는 왼쪽 하관이 부어 있었다. 프랑스의 의료시스템은 한국과 많이 다르다. 특히 치과 진료의 경우는 할 말이 많다. 우리가 블루아에서 산 지 3년이 다 돼 가는데 치과의사를 아직도 찾지 못했다. 우리 가족의 치과의사가 없다는 것은 이가 아프거나 관리가 필요할 때 전화를 해서 1~2주 안에 약속을 잡을 수 없다는 말이다. 한국처럼 아무 치과나 가서 한두 시간 기다린 뒤에 치료를 받는다는 것은 상상하기 어려운 일이다.

이 상태가 썩 좋지 못한 내가 꼭 말썽이다. 1년에 한 번쯤은 치과에 갈 일이 생기는 것 같다. 블루아에 온 그해였을 것이다. 치과를 가야 해서, 인터넷에 블루아, 치과의사, 를 검색하고 집 가까운 곳부터 일

일이 전화를 걸었다. 대화는 그리 오래 걸리지 않았다.

"이가 아파서 그러는데 약속 잡을 수 있나요?"
"성함이 어떻게 되죠? 저희 치과에 등록된 기존 환자인가요?"
"아닌데요."
"그럼 약속을 잡아줄 수가 없네요. 자리가 없어서요. 죄송해요."
"……."

수십 통을 걸어도 비슷한 내용의 대화였다. 그러다 블루아에서 5킬로미터 정도 떨어진 시골의 한 치과와 약속을 잡을 수 있었다. 5킬로미터면 그리 먼 것도 아니어서 이제 이 의사를 우리집 치과 전문 주치의로 삼으면 되겠구나, 하는 희망을 가졌다. 약속된 날짜에 가서 치료를 받고, 얼마 후에는 아이들을 데리고 가서 정기검진도 받았다. 그런데 1년쯤 후에 다시 가려고 연락을 했더니 나를 치료했던 의사가 떠나고 없었다. 원점으로 돌아간 것이다.

지금 생각해보니 이렇게 폐쇄적인 치과진료 시스템의 혜택을 받은 적도 있었다. 처가가 있는 시골에서 여름방학을 지내던 몇 년 전 일인데, 이가 너무 아파서 치과를 수소문하다가 장인의 치과의사에게 전화를 하게 됐다. 역시나 기존 환자냐고 묻는 질문에, 기존 환자는 아니지만 가족이라고 했더니 그날 오후에 바로 약속을 잡아줬다. 당시에도 가족이 없는 사람들은 어떻게 하지, 라는 의문을 가진 적이 있다.

내가 딱 그 처지에 이르게 될지 당시에는 상상하지 못했다.

가족이라곤 없는 블루아에서 새롭게 치과의사를 찾아 헤매다가, 그나마 어쩌다 신규 고객(?)을 받는 치과의사는 주로 동유럽 출신이라는 것을 알게 됐다. 나중에 언론 기사 등을 통해 본 바로는 프랑스에서 활동하는 치과의사 세 명 중 한 명이 외국인이라고 한다. 특히 지방은 치과의료의 사각지대여서 외국인 의사들을 더 쉽게 만날 수 있었다. 얼마 안 되는 기간이지만 우리 가족의 이를 돌봐줬던 5킬로미터 떨어진 곳의 그 치과의사도 루마니아 출신이었다. 치과의사 면허가 인정되는 루마니아와 헝가리에서 주로 온다고 한다. 블루아에도 전형적인 프랑스인 성이 아니라 동유럽 분위기가 나는 치과의사 이름들이 꽤 있었다.

가장 최근에는 4개월쯤 전인데, 역시 블루아 인근에서는 치과의사를 찾을 수 없었고, 집에서 20킬로미터 떨어진 마을의 한 치과의사가 약속을 잡아줬다. 블루아 시내에서 신규로 받아주는 곳을 찾긴 했는데 6개월 후에 오라고 해서 일단 끊었다. 20킬로미터 떨어진 곳의 치과의사 역시 루마니아에서 온 여자 의사였다. 동유럽 출신 치과의사들의 단점은 자주 바뀐다는 점이다. 어제부터 시작된 치통이 심해져서 오늘 아침 치과에 전화를 했는데 나를 치료했던 그 루마니아 의사는 떠나고 없다고 한다. 이런 시스템은 가끔 지금 우리는 어디에 살고 있는가, 하는 생각을 하게 한다. 치과진료로 포커스를 맞추면 프랑스는 전혀 의료선진국이라 보기 어렵다. 무엇보다 인구 대비 치과의사 수가 부족하기 때문이다. 그러니까 프랑스에 살면서 자기 가족의 치과의사가 있고, 그 의사가 무려 프랑스인이면 어깨를 으쓱해도 좋은 거다. 적어도 우리 가족의 사례만 보면 그렇다.

결론은, 어제부터 시작된 치통을 위해 그냥 가정의학과 전문인 우리 가족의 주치의 선생을 찾아가기로 했다. 항생제 정도는 처방해 줄 수 있을 테니까 그걸로 일단 급한 불을 끄고 찬찬히 다시 루마니아든, 헝가리든 뜨내기 신규 환자를 받아줄 아량 넓은 치과의사를 찾는 수밖에.

치통은 치통이고, 우리 부부에게 새로운 고민거리가 생겼다. 오늘 오후 마크롱 대통령이 전국의 22개 지자체장들과 화상회의를 가졌는데, 그 회의에서 5월 11일 격리 해제와 관련된 대화들이 오갔다. 정부는 학교 문을 재개방하는 결정에 대해 학생의 등교가 의무사항이 아니라고 밝혔다. 우리나라도 그렇지만 이 나라도 초중고 교육이 의무

시간 때우기용 놀이로 최고인 500조각 퍼즐

여서 아이를 학교에 보내지 않으면 부모가 법적 처벌을 받는다. 다만 이번은 예외가 되는 것이다. 학부모의 선택에 따라 학교에 보내도 되고, 집에서 원격수업을 진행해도 된다는 이야기다. 만약 우리 부부가 아이들을 학교에 보내지 않기로 결정하면 아내는 직업이 교사이므로 학교에 가게 될 것이고, 내가 아이들과 함께 이제껏 하던 대로 격리생활을 지속해나가야 한다.

우리뿐 아니라 많은 부모들이 고민스러울 것 같다. 선택권을 부모에게 주지 않았다면, 불평을 하더라도 그냥 보냈을 텐데 말이다. 대통령의 오늘 발표가 있기 전부터 아내 학교의 학부모 중에는 아이들을 학교에 보내지 않겠다고 한 사례가 있었다. 모범 방역국으로 칭찬이 자자하던 싱가포르에서는 학교 문을 연 뒤 얼마 지나지 않아 2차 대감염이 시작돼 다시 휴교령을 내렸다고 한다. 하물며 모범 방역국과는 거리가 먼 프랑스에서는 휴교령을 푼 뒤 2차 대감염이 오는 게 전혀 이상할 리 없다. 시간이 2주 정도 있으니 고민해볼 문제다.

치통과 아이들을 학교에 보낼까 말까에 대한 고민 중에도 우리는 퍼즐 맞추기를 이어나갔다. 역시 500조각은 그리 오래가지 못했다. 첫날은 눈이 아프도록 쳐다봐도 진도를 많이 빼지 못했는데, 하루 정도 쉬었다가 다시 달라붙자 전날 보이지 않았던 조각들이 막 보이기 시작했다. "내려갈 때 보았네. 올라갈 때 보지 못한 그 꽃"이라는 시구처럼. 격리의 장점은 느림의 미학을 몸소 실천해볼 수 있다는 거다. 정원 관리가 그랬던 것처럼 퍼즐도 서두를 이유가 없다. 그런데 그렇게 천천히 한다고 해도 3일밖에 걸리지 않았다. "벌써 끝났네, 1000조각 퍼즐 도착하려면 아직 한참 남았는데 어떻게 하나?"라는 나의 우문에, 딸은 "흩트려서 다시 하면 되죠."라는 현답을 내놓았다.

심심할 틈이 없으니까

4월 25일(격리 41일째) 토요일 맑음

"가만 보면 너는, 방학 때 좀 부족했던 과목을 들여다본다든
지 그런 거 한 번도 안 하드라."

"재네들도 안 하잖아요."

딸과 이야기를 나누다 폭발하는 순간이 있다. 그럴 때면 내
바닥을 보게 되는데, 어제 오후에 그랬다. 주로 남 탓을 한다든지, 주
제와 상관없는 핑계를 댄다든지 하는 게 나를 자극하는 경우다. 어제는
전자와 후자가 교묘하게 섞여 있었다. 중학생이면서 초등학생인 동생
들을 대화에 끌어들이는 것은 조금 비겁해 보였다. 그래서 더 화가 났
을 것이다. 깨끗하게 떠나지 않고 은근히 나를 괴롭히고 있는 치통 때
문이었는지도 모를 일이다. 아내는 첫째도 제 동생들과 비슷하게 아직
어리다고 일러줬다. 틀린 말은 아니다. 더구나 첫째는 월반을 해서 또
래들보다 1년 더 어리다. 감정을 추스르고 잠자리에 들기 전 첫째 방에

가서 다시 대화를 시도했다.

"방학이면 시간이 많으니까, 심심할 때 교과 관련 책도 볼 수 있는 것 아니냐는 말이었어."

"안 심심해요."

딸은 아직 분이 덜 풀린 모양이었다. 오래 앉아 있어 봐야 더 얻을 게 없을 것 같아 잘 자라는 인사를 하고 나왔다. 얼마 후에 아내와 몇 마디를 나눈 첫째는 거실로 와 내게 화해를 청하고 제 방으로 들어갔다. 아무리 생각해도 본인은 잘못한 것이 없어 보여서, 내가 노발대발한 걸 이해하지 못했던 것이다. 첫째와의 마지막 대화에서 나는 내가 잘못한 걸 이해했다. 아이들은 방학이든 격리 기간이든 아무리 시간이 많아도 전혀 심심하지 않다는 사실을 간과한 것이다.

오늘 오전에는 첫째가 둘째와 쑥덕쑥덕하면서 뭔가를 꾸미는 것 같았다. 둘이서 꾸민다기보다는 첫째의 지시를 둘째가 따른다고 하는 게 맞겠다. 의자를 나란히 놓고 나와 아내를 불렀다. 연극을 준비한 것이다. 첫째가 엄마 역, 둘째는 아들 역. 학교를 마치고 집에 돌아온 아들이 엄마와 나누는 대화다. 주요 대사만 뽑으면 내용은 이렇다.

아들: 오늘 멜라니 옆에 앉은 애가 선생님한테 엄청 혼났어요. 부모님 모시고 오라고 했다니까요.

엄마: 뭘 얼마나 잘못했길래?

아들: 지우개를 아무렇게나 던지고, 화장실에서 물 뿌리고 그랬나 봐요.

엄마: 넌 그런 애들이랑 놀지 마라. 너 걔랑 친하니? 너 걔 짝꿍이야?

아들: 아니 내 짝꿍은 멜라닌데요?

엄마: 뭐라고?!?!??

아들: 엄마는 내가 일등이기를 바라잖아요. 뒤에서 일등 맞잖아요.

어제 일 때문에 괜히 찔려서인지 아들의 마지막 대사가 오래 남았다. 의도했든 의도하지 않았든, 결과적으로 첫째가 내게 카운터펀치를 고급지게 날린 것으로 봐야 할 것 같다. '엄마 아빠는 항상 일등만 바란다'는 오늘 연극 내용은 그 자체로 내게 충격적인 것이었지만, 생각해보면 아이들은 집에서 오랜 시간을 보낼 때도 심심하다고 불평한 적이 거의 없었다. 연극은 방학 때 종종 우리에게 선보이는 청량제 같은 것이다. 최근 컴퓨터에 저장된 오래된 동영상 파일을 본 적이 있는데 거기에서도 연극 동영상을 몇 개 발견해서 한참을 웃었다.

3년 전이면 그리 오래된 일도 아닌데 동영상 속 아이들은 왜 이렇게 어린지. 마찬가지로 둘째와 셋째는 첫째의 지시에 따라 연기를 했다. 아이들은 선글라스와 바캉스용 밀짚모자를 쓰고 여행용 트렁크를 하나씩 끌며 나타났다. 비행기를 타고 어디론가 떠나는 내용이었다. 당시는 우리가 한국에 살 때여서 여름방학이면 꼭 보르도 인근의 처가로 와서 지냈는데 그 여행 과정을 연극으로 보여주려 했던 것이다. 장인 장모와 나, 아내, 이렇게 넷은 관객석에 앉아서 대사도 잘 들리지 않는 어설픈 연극을 보며 배를 잡고 웃었다.

며칠 전에는 아내와 나, 넷째, 이렇게 셋이 저녁식사 후에 잠시 산책을 다녀온 적이 있다. 날씨가 좋아서 소화도 시킬 겸 유모차를 끌고 동네 한 바퀴를 돌았다. 30분 정도 걸린 것 같은데 집에 와보니 1~3번 아이들이 떠들썩했다. 노래방 기계를 거실에 가져다놓고 신나게 노래를 부르고 있었다. 그 기계는 선물로 받은 건데 첫째가 가끔 친구들 왔을 때 사용하고, 그 외에는 둘째가 CD로 노래를 듣는 데 사용하느라 아 우리 집에 저런 게 있었지, 라고 생각할 정도로 존재감이 없는 물건이었다. 기분도 좋고 날씨도 좋아서, 나도 아이들 앞에서 노래를 불렀다. 기계의 반짝이는 불빛이 신기한 넷째는 그 앞에서 떠날 줄 몰랐다.

연극이나 노래방뿐인가. 격리기간 동안 아이들이 얼마나 '심심'과는 거리가 먼 종족인지 내 눈으로 똑똑하게 확인하지 않았던가. 레고와 플레이모빌은 물론이고 색종이 접기, 중세 기사 놀이, 그림 그리기, 픽셀 아트 그리기, 외줄 타기, 퍼즐, 만화책 읽기, 보드게임……. 그런 걸 알면서도 "심심할 때 교과 책을 좀 볼 수 있는 거 아니냐?"라고 말하는 것은 매우 비겁한 자세였던 거다. 차라리 "방학이지만 점수를 올리기 위해 공부 좀 해라."라고 말하는 게 더 솔직했다. 오는 월요일이면 개학이다. 또 날마다 해야 할 숙제들이 메일함으로 쏟아질 것이다. 그때는 아이들에게 "공부하라."라고 솔직하고 당당하게 말할 수 있는 시간이 온다. 며칠만 기다렸으면 좋았을 것을, 아무리 생각해도 치통 탓이다.

너도 나도 휴식이 필요해

4월 26일(격리 42일째) 일요일 맑음

이렇게 왔는지 모르게 가버리는 방학은 처음이지만, 아무튼 오늘이 부활절 방학 마지막 날이다. 평소 같았으면 2주 동안 열심히 놀았다는 걸 강조하면서 저녁식사를 마치자마자 "학교 가려면 아침 일찍 일어나야 하니까 빨리 자자."고 아이들 등을 떠밀었을 것이다. 오늘은 8시 30분 전후로 아이들을 무난히 침대로 보낼 수 있었다. 아마도 '조용한 시간' 없이 풀가동한 탓에 더 피곤했을 것이다.

우리집 아이들이 점심식사 후에 일정 시간 숨죽이며 지내는 '조용한 시간'은 그렇게 조용한 제도는 아니다. 부모의 결정으로 도입이 되긴 했지만 셋째처럼 아직 이성의 나이는 안 됐고, 제 목소리는 크게 내는 나이의 아이들을 설득하기가 쉽지 않기 때문이다. 그때그때 아이들의 컨디션에 따라, 우리 컨디션에 따라 상황은 달라진다. 어떤 날은 아무런 저항 없이 물 흐르듯 '조용한 시간'이 되는가 하면, 에너지 넘치는 아이들을 억지로 조용함 속에 욱여넣는 경우도 있다. 오늘이 그랬다.

'조용한 시간'이 되자 나와 아내는 평소처럼 커피와 트리오미노스를 가지고 정원에서 게임을 하고 있었다. 그런데 방에 있어야 할 둘째와 셋째가 칼싸움을 하며 차고에서 뛰어나오는 것이 아닌가. 시간을 보니 점심 이후로 전혀 조용하지 않았던 게 분명했다. 그런데 아이들과 맞설 기운이 없었다. "오케이, 그냥 너희들 마음대로 해라. 다만 정원 저 구석, 집에서 최대한 멀리 떨어진 곳으로 가서 놀아라." 자고 있는 넷째를 깨우는 건 막아야 하니까. 오늘은 조용한 시간을 만드는 데 실패한 것이다. 우리는 다시 게임판에 집중했다. 아내는 칼과 방패를 들고 구석으로 향하는 아이들의 뒷모습을 향해 "나는 좀 쉬는 게 필요하다고."라고 말했다. "J'ai besoin de me reposer!"

나는 아내가 아이들을 향해 저 표현을 사용할 때면 주목하게 된다. 욕구나 필요를 나타내는 단어 besoin에는 결핍의 의미가 숨어 있다. 뭔가를 더 얻기 위해 필요하다고 말하는 것이 아니라, 뭔가가 부족해서 필요하다고 하는 것이다. 조금 더 절실해 보인다. 특히 아이들과 실랑이를 벌일 때 저 표현이 종종 튀어나온다. 다시 말하면, 지금까지 밥하고, 밥 먹이고, 청소하고, 빨래하고, 같이 놀아주고 등등등 너희들을 돌봤으니 지금은 나의 시간이다. 그러니 나에게는 내 남편과 조용히 앉아서 커피를 마시고, 게임을 할 여유가 필요하다, 라는 뜻이 저 문장 안에 포함된 것이다.

어쩌면 프랑스식 육아법의 정수가 들어 있는 표현이다. 부모의 욕망이 육아의 한 중심에 들어 있기 때문이다. 육아의 중심에 아이가 있을 것이라고 생각하지만 사실은 그렇지 않다. 물론 순전히 내 방식의 분석이다. 토종 한국인인 나로선 그런 식의 육아법이 많이 낯설었다. 처음엔 불편하기까지 했다. 내 즐거움을 위해 아이들을 뒷전에 두는 것 같아 죄스러운 생각이 들 때도 있었다. 그런데 지금은 전혀 그렇지 않다. 가끔은 아내보다 내가 더 내 (결핍에 따른) 욕구를 주장하는 경우도 있다.

특히 아이가 어린 경우에 부모의 결핍은 더 두드러진다. 우리 예를 들면, 네 발로 걷기 시작한 호기심덩어리 넷째는 잠에서 깨는 순간 한시도 눈을 뗄 수 없는 존재다. 우리는 넷째가 잠을 자는 동안 또는 우리 둘 중에 한 명이 넷째를 맡아주는 동안만 자유로울 수 있다. 아주 짧지만 첫째와 둘째가 놀아주는 경우를 예외로 하면 말이다. 그래서 넷째가 자는 동안, 혼자 걷고 먹고 놀 수 있는 1~3번 아이들은 자유시

둘째가 '조용한 시간' 동안 그린 그림. 만화 〈루키 루크〉의 영향을 받은 둘째는 요즘 서부영화에 등장하는 마차를 자주 그린다.

간에 대한 부모의 결핍을 채우기 위해 도와줘야 하는 것이다. 그 아이들이 더 어렸을 때도 마찬가지였다. 대충 기저귀를 떼는 시기까지 손이 가장 많이 가는 걸로 치면, 우리는 최근 10년 중 7~8년을 결핍 속에서 살았다. 우리가 버틸 수 있었던 것은 결핍을 그대로 두지 않고 기회가 되는 대로 채웠기 때문이다.

이 도시에 베이비시터 시장이 활성화된 이유이기도 하다. 중학교 3~4학년부터 고등학교 3학년 사이의 아이들이 대상인데, 주로 지인들 사이에서 이뤄진다. 어린아이가 있는 젊은 부부들의 넘치는 사회적 욕구를 해소할 수 있는 길은 그것뿐이다. 베이비시터는 아이들이 곧 잠자리에 드는 오후 8시쯤 와서 책을 읽어주고 재운다. 우리는 8시쯤 나가서 자정 무렵까지 사교 생활을 즐긴다. 저녁식사 초대를 받거나 정기 모임이 있을 때 베이비시터를 부른다. 저렇게까지 해서 꼭 나가야 하나, 싶은 생각이 들 때도 있었지만 그것도 결핍에서 나온 욕구라는 걸 깨닫고는 즐거운 마음으로 베이비시터 비용을 지불하고 있다.

어렸을 때 직접 '조용한 시간'을 강요당해본 경험이 있는 아내의 말에 따르면 그 시간이 꼭 부모를 위한 것만은 아니다. 저항하던 시절이 없던 것은 아니지만, 습관이 되자 오히려 기다려졌다고 한다. 모든 소음에서 떨어져 조용히 혼자 있을 수 있고, 아무것도 하지 않을 자유가 있어서 멍 때리기에 좋았다는 것이다. 그렇게 혼자만의 시간을 가진 뒤 방에서 나와 동생을 다시 만나는 즐거움이 있고, 둘이서 뭔가를 새롭게 시작할 에너지가 생겼단다. 둘째는 종종 '조용한 시간' 동안 그림을 그려서 우리에게 선물하곤 한다.

격리 해제에 대한 국민적 관심이 높아지고 있다. 약속한 날인 5월 11일이 이제 2주 앞으로 다가왔다. 총리는 격리 해제 이후 시행될 정부의 세부 정책을 오는 화요일 국회에서 보고하고 표결에 부치겠다고 밝혔다. 의료(마스크와 검사 등을 포함한), 학교, 일터, 상업 행위, 교통, 집회 등 6개 분야의 주제로 나눠 대책을 발표할 예정이다. 일각에서는 보고 후 즉시 표결이라는 절차에 토론 과정이 생략됐다고 불만을 쏟아냈다. 마크롱 대통령이 일방적으로 격리 해제 날짜를 정했다고 생각한 정치인들의 저항이 만만치 않다. 야당인 우파 정당의 반발은 물론이고, 좌파에서도 독한 말들이 나오고 있다. 좌파 대선주자인 멜랑숑은 '기만'적이라고 주장했다.

〈르피가로〉 인터넷 사이트에서 왜 마크롱은 5월 11일을 밀어붙였을까, 를 주제로 만든 동영상을 봤다. 국립의학아카데미에서는 5월 11일 휴교령 해제에 부정적 입장이었다고 알려졌기 때문에 나를 포함한 많은 사람들이 그 이유에 대해 궁금증을 가졌다. 전국적 이동제한령이 내려지기 불과 이틀 전인 지난 3월 15일 1차 지방선거가 실시됐는데, 선거 강행은 당시 전문가들의 의견에 따른 결정이었다고 한다. 2주후에 열릴 예정이던 2차 지방선거가 결국 연기되자, 마크롱은 1차 선거를 왜 미루지 않았냐는 거센 비난에 휩싸이게 됐다. 이 일로 전문가들의 말을 불신하게 돼 그들의 반대에도 불구하고 5월 11일 휴교령을 강행했다는 것이다. 일종의 생떼 부리기 아닌가. 이번 결정으로 골머리를 앓고 있는 사람이 수백만 명인데, 라는 생각에 살짝 어이상실이었다. 얼마나 신빙성이 있는 취재원을 통해 나온 정보인지는 모르겠지만, 이게 사실이라면 마크롱의 재선은 어렵지 않을까, 예상해본다.

일곱째 주

"그러나 성직자에게는 친구가 없습니다. 모든 것을 하느님께 바쳤으니까요."
그는 침대 맡에 걸려 있던 십자가를 달라고 부탁했고
의사가 손에 쥐자 십자가를 보기 위해 고개를 돌렸다.
—알베르 카뮈, 《페스트》

학교를 어쩌지······ 아, 어렵다

4월 27일(격리 43일째) 월요일 맑음 한때 비

두 달 만에 학교 가는 날이다. 마지막으로 학교에 갔던 게 언제인지 세어보지 않았는데 아침식사를 하는 동안 아빠가 그렇게 말을 했다. 아빠는 두 달이면 여름방학 기간과 같다고도 했다. 여름방학이었으면 외갓집에도 가고 바닷가에도 갔을 텐데 집에만 계속 있었던 게 가장 다른 점이었다. 그런데 그렇게 길게 느껴지지도 않았다. 마튜와 만나는 게 제일 기대된다. 엄마는 우리보다 30분 일찍 일하러 갔다. 아빠는 책가방에 도시락을 챙겨줬다. 샌드위치는 지겹지만, 디저트인 초콜릿 쿠키가 나를 자극했다. 코로나 때문에 급식을 하지 않고 교실에서 먹는다고 했다.

차에 올라타는데 아빠가 다시 한 번 마스크 챙겼냐고 물었다. 한국의 고모가 보내준 하늘색 천 마스크와 그 안에 넣는 하얀 필터도 챙겼다. 전에 아빠랑 슈퍼마켓에 갔을 때 마스크를 쓰고 다닌 적이 있는데 너무 답답해서 싫었던 기억이 난다. 이걸 쓰고 하루 종일 있으라는 말은 아니겠지. 학교 가는 길에 본 거리의 사람들 중에 마스크를 쓴 사람이 더 많았다. 엄마나 아빠 손을 잡고 걸어서 학교 가는 아이들도 마스크를 쓰고 있었다.

차를 세운 아빠가 같이 걷다가 학교 정문 앞에 멈춰 섰다. 평소처럼 학교 안으로 들어오지 않고 거기서 내게 작별 인사를 했다. 아빠와 나는 둘 다 마스크를 쓰고 볼에 뽀뽀를 했다. 이상했다. 우리만 그런 게 아니라 다른 학생들과 다른 아빠 엄마들도 우리와 똑같이 마스크를 쓰고 학교 정문 앞에서 볼 뽀뽀를 했다. 정문이 평소보다 더 붐벼서 그 사이를 뚫고 뛰어오느라 요리조리 피해야 했다. 마튜가 운동장에 먼저 와 있었다. 마스크를 쓰고 있어서 못 알아볼 뻔했다. 신발을 보고 마튜인지 확실히 알아봤다. 그런데 평소보다 아이들이 훨씬 적어보였다.

선생님은 교실로 들어오는 우리의 열을 체크했다. 교실에서 마스크를 벗은 뒤 친구들 얼굴을 다 볼 수 있었다. 숫자를 세어보니 12명밖에 안 됐다. 원래 25명인데 절반도 안 되는 숫자다. 책상은 띄엄띄엄 놓여 있었다. 어른들은 우리가 붙어 있는 걸 가만 놔두지 않았다. 교실로 들어오기 전 운동장에서도 붙어서 이야기하는 나와 마튜를 옆 반 선생님이 떼어놓았다. 이 모든 게 코로나 때문이라고 했다. 선생님은 수시로 손을 씻었는지 확인했다. 우리는 교실 뒤에 있는 세면대에서 비누를 잔뜩 묻히고 30초 동안 손을 문질렀다.

불어 시간이 끝나고 쉬는 시간이 왔다. 마스크를 쓰고 운동장에 나가보니 우리 4학년 아이들밖에 없었다. 세 개 반 다 합쳐도 40명이 넘지 않았다. 넓은 운동장을 마음대로 뛰어다닐 수 있어 좋았는데, 자꾸만 선생님들이 붙어 있지 말라고 하는 게 좀 듣기 싫었다. 우리가 쉬는 시간을 끝내고 들어갈 때 5학년들이 마스크를 쓰고 교실에서 나오고 있었다. 화장실에는 일하시는 아주머니가 거의 항상 지키고 서서 우리가 우르르 나가기만 하면 뭔가를 뿌리고 있었다. 소독하는 거라고 선생님이 알려줬다.

점심시간에는 교실에서 도시락을 먹었다. 학교 안에서 도시락을 먹는 것은 처음이다. 그런데 멀찍이 떨어진 책상에 앉아서 먹는 바람에 친구들과 이야기도 못 나누는 게 아쉬웠다. 그냥 혼자 먹는 것과 다를 바 없었다. 옆자리 친구와 이야기를 하려고 조금이라도 붙을라치면 선생님이 야단을 쳤다. 점심을 먹은 뒤에는 다시 마스크를 쓰고 운동장에 나갔다. 감독하는 어른들은 우리를 향해 쉴 새 없이 "거기 너희들 떨어져! 마스크 써!"라고 소리를 질렀다. 엄마 아빠한테 학교 가고 싶다고 했던 말이 후회된다. 재미없다. 그냥 집에 있는 게 더 나을 뻔했다.

5월 11일 이후에 아이들의 학교에서 벌어질 일상을 둘째의 관점에서, 나 혼자 상상해봤다. 개학을 맞은 아내는 오늘 동료 교사들과 화상회의를 했는데, 교사들도 어찌할 바를 모르고 있다고 했다. 격리 해제 날짜가 가까워질수록 교육부나 교육청 수준의 대책들이 나오겠지만 현장을 잘 아는 아내 입장에서는 아무리 머리를 굴려 봐도 답이 나오질 않는다는 것이다. 정부 발표에 따르면 학생들도, 교사들도 학교에 다시 가는 게 기본적으로 의무가 아니다. 아내는 어쩌면 한 반에 두

세 명밖에 학교에 오지 않을 수도 있다고 말했다. 지난 대선에서 결선 투표까지 갔던 극우정당 대표 마린 르펜도 아이들을 이번 5월에 학교에 보내지 않고, 9월 개학 때 보내겠다고 밝혔다.

넷째가 다니고 있는 보육원에서 전화가 왔다. 5월 11일 이후 보육 수요를 조사하는 차원이었다. 보육원에서 넷째를 수용할 수 있을지는 추후에 알려주겠다고 했다. 급한 처지에 놓인 가정의 아이들부터 선별적으로 받을 계획이라고 한다. 넷째는 원래 일주일에 네 번 갔는데, 일주일에 두 번이나 한 번만 가는 것으로 조정이 될 수도 있다고 귀띔을 했다. 물론 보내지 않아도 된다. 넷째를 보육원에 며칠 보내고, 나머지 세 아이들과 집에서 계속 학교놀이를 하는 것도 격리 해제 이후를 맞이하는 방법 중 하나일 것이다. 그런데 코로나19가 아니더라도 보육원이 바이러스의 온상이라는 걸 떠올리면 썩 좋은 해법은 아닐 수도 있겠다. 아, 어렵다. 사회당 소속의 정치인은 이런 상황에서 아이들을 학교에 보낼지 여부를 부모가 결정하도록 해선 안 된다고 주장했다. 강력하게 동의한다. 다 보내든, 다 보내지 않든 국가가 책임을 지는 게 맞다. 아무리 생각해도 프랑스 정부의 결정은 비겁하다.

5월 11일부터 바뀌는 것들

4월 28일(격리 44일째) 화요일 맑음

에두아르 필립 총리가 오늘 오후 국회에 출석해 격리 해제 대책을 발표했다. 격리 해제는 크게 2단계로 나눠 진행되는데, 5월 11일 휴교령이 풀리면서 1단계 해제가 시행되고 6월 2일 2단계가 시행될 예정이다. 식당과 술집 등은 2단계에 재개장을 할 가능성이 크다. 2단계에 들어서면서 7월 여름휴가에 대한 정부 대책이 다시 발표될 것으로 보인다.

정부 대책에 대한 하원의 투표는 찬성 368표, 반대 100표, 기권 103표로 과반 이상의 찬성을 얻었다. 총리의 이번 대책 발표는 그냥 기자회견으로 진행해도 되는 일이었다. 그런데 굳이 국회에서 발표하고 표결까지 붙인 것은 행정부의 결연함을 보여주는, 다분히 정치적인 행위였다. 멜랑숑이 이끄는 극좌와 르펜의 극우정당은 만장일치로 반대표를 던졌고, 나머지 정당들은 자유 투표에 맡겨 찬반이 갈렸지만 행정부 정책에 힘을 실어줘야 한다는 의견이 다수를 차지한 것이다.

맨 먼저 총리가 강조한 것은 "각종 지표가 원하는 만큼 도달하지 않을 경우 5월 11일 해제 조치가 무효가 될 수도 있다."는 것이었다. 지표에 대해 구체적인 설명은 하지 않았지만, 국민들에게 사회적 거리두기나 마스크 쓰기, 쓸데없이 돌아다니지 않기 등을 계속해서 지켜달라며 보내는 압박이다. 우리 일상과 밀접하게 연관될 세부 사항들을 하나씩 살펴봤다.

• 거주지에서 100킬로미터 이내의 이동은 증명서를 지참하지 않고 자유롭게 할 수 있다. 그 이상의 거리는 이동할 수 없다는 이야기다. 지금처럼 급한 용무나 출장 등은 예외다. 참 눈물 난다, 증명서 지참을 면제시켜주시니. 이동을 허락받아야 하는 나라에서 살고 있다는 게 믿기지 않을 따름이다. 이제 루아르 강변을 따라 마음 놓고 자전거를 타도 되겠다. 7월에는 또 상황이 바뀌겠지만, 격리 해제가 풀리면 주말이라도 시간을 내서 처가에 다녀올 생각이었는데, 그 계획은 접어야 한다. 나는 물론이고, 아내가 많이 실망했다.

• 데파르트망 또는 레지옹을 벗어나는 이동 역시 금지된다. 이에 따라 기차의 배차도 제한적으로 이뤄진다. 데파르트망은 우리나라의 도, 레지옹은 그보다 더 큰 지방자치 단위다.

• 5월 11일 이후 마스크 공급이 원활해지고, 대중교통에서는 마스크 착용이 의무사항이 된다. 빠르기도 하시다. 우리 가족은 한국에서 보내준 마스크가 있고, 대중교통을 이용할 일이 없다.

• 일주일에 70만 건의 검사를 목표로 하고 있다. 70만 건을

목표로 잡은 근거는, 하루 3000명이 감염되며 그 3000명이 약 25명을 접촉한다고 가정했기 때문이다. 이 경우 일주일에 52만5000건이 나오는데 이보다 여유롭게 잡은 것이다. 비용은 국가가 부담한다.

• 지역별로 바이러스 피해상황이 다르므로 데파르트망 단위에서 녹색, 적색 단계를 정해 실정에 맞는 대책을 적용하게 된다. 5월 7일부터 매일 저녁 해당 데파르트망의 단계가 시장(시나 군 단위 관할) 및 경찰서장(광역단체 관할)에 의해 발표된다.

• 감염자와 접촉한 사람들을 특정해서 쫓는 전담팀이 생기고, 접촉자들은 자가격리에 들어간다. 한국 뉴스에서 너무 많이 본 내용이라, 이 나라도 이런 일들을 이미 하고 있는 줄 알았다. 이 조치를 5월 11일부터 한다는 거니까, 한국에 비하면 세 달쯤 느린 건가?

• 초등학교: 5월 11일부터 매우 점진적으로, 자발적으로 원하는 사람에 한하여 수업을 재개한다. 한 교실에 15인 이하, 개인 간 거리 지키기, 손 세정제 비치 등을 실시하게 된다. 유치원생은 마스크 착용이 금지되고, 초등학생은 쓰지 않아도 된다(더 정확히는 권장되지 아니한다). 교사에게는 마스크가 지급될 것이며, 교실과 운동장 등 교내에서는 마스크를 착용해야 한다. 초등학교에는 3~5세 아이들이 다니는 3년 과정 유치원과 6~11세의 5년 과정 초등학교가 포함된다. 초등학교 4학년인 둘째가 마스크를 쓰고 학교에 가는 어제의 상상은 틀릴 가능성이 높다.

• 중학교: 감염이 심각하지 않은 데파르트망에 한해 5월 18일부터 1학년과 2학년만 학교에 가게 된다. 마스크는 국가에서 지급한

다. 중학생들도 "자발적으로 원하는 사람에 한하여" 수업을 재개할지에 대해서는 언급하지 않았다.

• 고등학교: 이전 발표와 달리 수업 재개 날짜를 적시하지 않았다. 상황에 따라 5월 말 결정할 예정이다. 6월 초에 휴교령이 해제될 가능성이 크다.

• 65세 이상 노인들의 이동을 제한하지는 않았지만 각별한 주의를 요구했다.

• 공공장소는 물론 사적 장소에서도 10인 이상 집회는 금지된다. 우리가 매월 참여하고 있는 부부모임의 인원은 11명이다. 어떻게 될까.

• 6월 2일 이전에는 종교행사가 금지된다. 종교시설은 "여전히 개방해 놓아도 된다." 그러나 6월 2일 이전에 미사 등의 종교 의식을 진행해서는 안 된다.

• 극장과 콘서트홀, 대형 박물관, 해변 등 다중 이용시설은 폐쇄 결정을 적어도 6월 1일까지 유지한다. 다만 동네의 작은 도서관이나 소형 박물관은 개장을 해도 된다. 단체 운동경기는 금지되고, 결혼식은 연기할 것을 권유하고 있다. 장례식의 경우 20명으로 참석인원이 제한된다.

• 축구를 포함한 프로스포츠 경기의 2019-2020 시즌은 종결됐다. 5000명 이상이 모이는 축제나 스포츠 경기는 9월 이전에 재개될 수 없다.

• 감염자의 이동경로 추적 애플리케이션 도입을 위한 찬반 토론과 법안 표결이 조만간 이뤄진다. 원래는 오늘 표결이 있을 예정이

었는데 연기됐다. 군불을 지핀 지는 한 달도 넘은 것 같다.

　• 기업들은 지금부터 최소한 3주 동안은 재택근무를 유지할 것을 요구했다. 접촉을 줄이고, 대중교통 이용을 최소화하기 위해서다. 재택근무를 채택할 수 없는 기업은 탄력적 근무시간을 적용해 많은 사람이 같은 시간대에 몰리는 것을 피하는 데 협력할 것을 요구했다.

　• 5월 11일부터 식당과 카페를 제외한 모든 상업시설은 영업을 재개한다. 면적이 4만 평방미터 이상인 상업시설은 지자체장의 재량에 따라 폐쇄 결정을 유지할 수 있다. 식당과 카페의 영업 재개 여부는 5월 말 결정된다.

　• 부분실업 제도는 6월 1일까지 유효하다. 재택근무가 불가능한 기업의 종사자들은 부분실업을 신청할 수 있는데, 부분실업을 신청하면 월급의 84퍼센트까지 받을 수 있다. 1080만 명의 월급 생활자들이 이 혜택을 받고 있으며, 이 수치는 전체 사기업 직원수의 절반을 넘는다. 월급을 받아본 지가 워낙 오래돼서 감이 오지 않지만, 말만 들어도 부럽다.

　• 대중교통의 탑승인원을 대폭 줄인다. 의자 둘 중 하나는 없애고, 바닥에 테이핑을 해서 적정 거리를 유지하도록 한다는 것이다. 사회적 거리두기를 실천하기 위해서인데, 현실적으로 가능하겠냐는 우려 또는 비난의 목소리가 나온다. 블루아 같은 시골의 버스는 해당사항이 없겠지만, 출퇴근 시간 콩나물시루가 되는 파리 지하철은 그런 걱정이 나올 법하다.

마지막으로 총리는 격리 상태가 너무 오래 지속될 경우 "경제가 붕괴될 위험"이 있다고 말했다. 1945년 이후 가장 심각한 경기 후퇴를 보이고 있고, 지난달 실업급여 신청자가 기록적 수치를 나타내는 등 모든 경제지표가 적색 경고를 울리고 있다는 것이다. 총리는 그나마 교육 불평등 운운한 대통령보다 솔직했다. 더 이상 격리 상태를 지속할 수 없는 이유를 맨 마지막이나마 분명히 밝혔으니 말이다.

이 가운데 우리 일상에 직접적인 연관이 있는 것들도 상당하다. 상점에 갈 수 있고, 친구들과 아뻬로를 즐길 수 있고, 자전거를 타고 집에서 먼 곳으로 가서 피크닉을 즐길 수도 있다. 그러나 여전히 할 수 없는 일들이 있다. 가장 상징적인 것은 아직도 처가에 갈 수 없다는 사실이다. 못 가게 하니까 더 뽕도라에 가고 싶다. 우리를 가두고 있는 감옥의 울타리가 조금 넓어졌다고 할 수 있겠다. 아이들을 학교에 보낼지에 대해서는 아직도 고민 중이다.

진짜 심오한 라이벌

4월 29일(격리 45일째) 수요일 흐리고 비

100퍼센트 한국 문화 속에 아이들을 키워본 적이 없어서, 한국 아이들은 집에서 뭘 하고 노는지 잘 모른다. 우리 아이들이 노는 모습을 보면서 대충 비슷하겠지, 라고 상상할 뿐이다. 생각해보면 나도 어린 시절 동네 친구들과 칼싸움은 많이 했으니까, 저 아이들이 자주 하는 칼싸움도 같은 맥락이겠거니 하는 거다. 그런데 자세히 보면 내가 동네에서 긴 나무 막대기를 들고 하던 그 칼싸움과는 좀 다르다. 칼이 세련된 모양인 건 물론이고 방패도 필요하다. 방패도 그냥 어설픈 방패여선 안 되고 중세 기사들의 문장이 들어간 방패라야 한다. 망토 비슷한 게 있으면 더 폼이 나는 건 당연지사다.

한국 아이들이 어떻게 노는지 잘 몰라도, 프랑스 아이들의 사정은 좀 안다. 적어도 남자아이들은 십중팔구 중세 기사들처럼 칼과 방패, 투구 등을 쓰고 챙, 챙, 챙 하면서 논다. 격리 기간 내내 우리 아이들이 방에서, 계단에서, 거실에서, 정원에서 그러는 것처럼. 블루아에 온 첫해, 친한 부부네 집에 놀러 갔다가 그 집 아들 장난감 박스에 있던 중세 기사의 칼과 방패를 보고 눈이 번쩍, 하던 셋째를 발견했다. 다음 생일선물로 저것을 사야겠군, 생각을 해뒀다. 첫해에 칼과 방패를 선물했고, 이듬해에 크기가 약간 작은 칼과 망토를 선물했다. 칼이 두 개가 됐으니 이제 형과 겨루기를 할 수 있겠다고 생각했다.

프랑스 아이들이 중세 기사 놀이에 그토록 열광하는 이유는 그들의 역사이기 때문이다. 용맹한 모습, 영웅 같은 행동, 화려한 외모 등에 매료되는 것이다. 역사 시간에 배우는 프랑스 왕들은 그런 귀족 기사 문화의 정점에 있던 인물이다. 샤를마뉴 대제나 프랑수아 1세 등 이름만 대면 알 만한 유명한 왕들은 최고의 기사이기도 했다. 이 동네에서 중세 기사 장난감을 쉽게 접할 수 있는 이유 중 하나는 루아르 강 고성(古城)들이 중세 프랑스 왕들의 활동 무대이기도 했기 때문일 것이다. 우리 아이들에게 프랑스 역사는 절반만 자기네 역사이지만 칼싸움은 완전 자기들 것으로 만들어버렸다.

칼만 있고 방패가 없는 둘째는 버린 박스를 이용해서 방패를 만들어달라고 내게 부탁했다. 그래, 좋은 생각인데. 크기는 셋째의 방패를 모델 삼아 자르고 디자인은 인터넷에서 골랐다. 프랑스 왕실의 상징인 백합꽃 문양을 노란색 색종이로 오려, 프랑스 왕실의 상징색인 진한 남색 바탕에 붙여 넣었다. 바탕인 남색은 아크릴 물감으로 칠하고

니스까지 칠했더니 반짝반짝 윤이 나는 그럴듯한 방패가 완성됐다. 둘째의 입이 귀에 걸렸다.

이번엔 셋째가 난리다. 본인이 큰 칼과 새로 만든 방패를 가져야겠다고 주장한다. 항상 이런 식이다. 셋째는 둘째가 자기보다 더 좋아 보이는 것을 갖는 꼴을 못 본다. 둘의 라이벌 관계는 레고와 플레이모빌의 심오함을 넘어선다. 훨씬 현실적이고 즉각적이다. 내가 중재에 나섰다. 나는 셋째에게 더 크고 멋진 방패를 만들어주겠다고 약속했다. 셋째는 둘째와 언제 말다툼을 했냐는 듯 환호성을 지르며 뒤도 돌아보지 않고 사라졌다.

세 살 정도 터울의 형이나 남동생이 없는 나로서는 둘째와 셋째의 관계가 어떤 건지 도저히 감을 잡을 수가 없다. 이해하려고 노력해도 직접 경험해보지 못한 것이어서인지 쉽지 않다. 여동생만 하나 있는 아내 역시 모르는 건 마찬가지다. 내성적이고 여려 보이는 둘째와

시간 가는 줄 모르고 상자용 골판지를
이용해 만든 중세 기사의 방패

외향적이고 강해 보이는 셋째. 둘째는 내성적이지만 지는 것은 싫어해서 셋째가 이기려 들면 어떻게든 보복을 하거나 위협을 가한다. 둘째에게 힘으로 이길 수 없다는 것을 잘 아는 셋째는 엄마 아빠의 힘을 빌린다. 빽! 하는 소리를 지르면 엄마 아빠는 둘 다 혼낸다. 셋째는 우리가 안 보는 사이에 둘째를 보며 씩, 하고 웃을지 모른다. 우리가 나가면 둘째는 셋째를 쥐어박는다. 둘째가 또 울면서 빽! 소리를 낸다. 반대의 경우도 있다. 셋째가 혼나고 있을 때는 우리가 안 보는 틈을 타 둘째가 셋째를 향해 메롱, 하며 웃는다. 분노 게이지가 상승한 셋째는 더 크게 울어재낀다. 악순환의 연속이다.

셋째가 데시벨로 치면 지하철 소음에 해당하는 100 정도의 괴성을 내지르기 전에 나는 다시 방패 만들기에 돌입했다. 모델을 정하고, 박스를 자르고, 물감을 칠하고, 색종이를 붙이고, 니스를 칠했다. 이왕에 만드는 거 큼지막하게 박스를 잘랐더니 둘째 방패보다 훨씬 커졌다. 방패 아래에는 셋째 이름의 이니셜도 박았다. 한 시간 정도 몰입해서 방패

세 살 터울인 남자형제의 관계는
나나 아내가 살면서 경험해보지 못한
신세계이다.

만들기에 열중하고 있는데, 벌써 두 개째 방패를 만드는 걸 보며 아내가 한마디 했다. 요즘 읽고 있는 책 때문에 그렇게 열심히 방패를 만들고 있냐고. 한국에서 보내준 소포 안에 있던 유발 하라리의 《르네상스 전쟁 회고록》을 말하는 것이었다. 전쟁을 업으로 삼았던 중세 기사들의 회고록을 분석한 책인데, 재미있게 읽고 있긴 하지만 꼭 그 책 때문만은 아니었다. 가정의 평화를 위해서, 라는 답은 굳이 입 밖에 내뱉지 않았다. 만들기에 몰입하면 시간 가는 줄 모르게 재미있다는 건 본인도 잘 알면서.

이제 방패가 세 개, 칼이 두 개 있으니 칼만 하나 더 있으면 넷째까지 합세해서 셋이 칼싸움을 할 수 있게 됐다. 넷째가 형들과 커뮤니케이션하는 나이가 됐을 때 어떤 관계를 맺게 될지 궁금하다. 2~4번은 여덟 살, 3~4번은 다섯 살 차이다. 셋째는 아직 어려서인지 넷째와 함께 놀아주는 걸 거의 보지 못했다. 아직도 질투의 대상이 아닐까 하는 의문을 가져볼 뿐이다. 둘째는 넷째와 제법 잘 놀아준다. 여덟 살이면 나와 형의 차이와 같다. 그래서인지 둘째가 살갑게 넷째와 놀아주는 걸 볼 때는 형 생각이 난다. 형은 내게 각별한 사랑을 주는 사람이다. 둘째와 넷째만이 아니라, 1~4번 모두 서로가 서로에게 각별한 관계가 될 수는 없는 걸까. 방패 만드느라 하루는 잘 지나갔는데, 어려운 질문이 남는다.

방패와 재봉틀과 김치

4월 30일(격리 46일째) 목요일 흐리고 비

격리조치가 길어지면서 가정폭력이 늘고 있다는 뉴스는 이제 별로 새로울 것도 없다. 매 맞는 여성들을 위한 긴급구호 초동 조치를 동네 약국에서 할 수 있게 한다거나, 아동 폭력이 전년에 비해 거의 배로 늘었다거나 하는 뉴스들이다. 비슷한 맥락으로 보이는 눈에 띄는 뉴스를 발견했다. 프랑스 가정의 올 4월 부부신뢰지수가 95로, 지수를 발표한 이래 가장 큰 폭으로 떨어졌다는 것이다. 지난달에 비해 8점이 떨어져 평균(100) 아래로 내려갔다고 한다.

부부간의 신뢰를 수치화했다는 사실 자체가 살짝 놀라웠다. 그래서 인터넷으로 좀 알아보니, 내가 이해했던 것과는 전혀 달랐다. 프랑스 통계청이 1972년부터 매월 발표하고 있는 경제지표 중 하나인데 한 가정의 구매력이나 저축여력, 재무상태 등을 종합해 그 가족이 미래에 얼마나 자신감이 있는지 또는 불안한지를 수치로 보여주는 것이다. 내가 번역을 잘못해서 생긴 오해였다. 부부, 가족, 세대 등의 뜻을 가진 단어를 부부로, 신뢰, 신용, 자신감이라는 뜻을 가진 단어를 신뢰로 바꾸자, 부부신뢰지수라는 내 멋대로 번역이 되고 말았다. 굳이 다시 번역을 해보자면, 세대별 신뢰감 지수 정도가 아닐까.

어찌 됐든 코로나가 각종 경제지표의 기록을 갈아치우고 있는 것만은 확실하다. 제2차 세계대전 이후 최악의 국민총생산, 역시 최악의 실업률 등 안 좋은 쪽으로. 그 말이 그 말이 아니었지만, 말이 나온 김에 나와 아내의 신뢰지수에 대해 생각해봤다. 우리가 이렇게 24시간 붙어 있는데도 그럭저럭 잘 지내고 있는 건, 같은 공간에서 오랜 시간 함께 지내는 일이 익숙하기 때문일 것이다. 내가 사표를 내고 집에서 일을 하거나 집안일을 하고 산 지가 10년이 넘었으니, 우리의 함께 지내기 내공도 그 정도 되는 셈이다. 아무리 부부여도 익숙하지 않은 사람들에게는 24시간 붙어 지내기가 결코 쉬운 일이 아니다. 우리도 처음엔 부딪히는 횟수가 많았다.

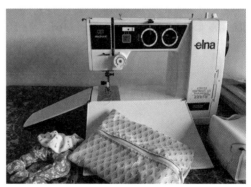

장모님이 결혼선물로 받은 재봉틀을
아내에게 물려줬다.

붙어 지내기의 가장 중요한 노하우는 각자의 공간이나 취미를 존중해주기다. 내가 아이들의 방패를 만들거나 정원에서 잔디를 깎을 때는 다른 모든 일에 대해 깨끗하게 잊고 그것에만 집중을 한다. 그렇게 하도록 상대가 배려를 해줘야 가능한 일이다. 나만의 세계에 빠져 있기 때문에 넷째가 아무리 울어도 모른 척할 수 있는 자유가 생긴다. 이러한 행위에는 일종의 치유 효과가 있는 것 같다. 내게 방패 만들기가 있다면 아내가 집중하는 것 중에는 재봉틀 놀이가 있다. 딱 봐도 골동품으로 보이는 휴대용 재봉틀은 장모님이 한 5년 전쯤 아내에게 물려준 것이다. 본인이 결혼할 때 선물 받은 것이라고 했다. 1980년대 중반이니 30년은 족히 넘은 제품인 거다. 궁금해서 또 인터넷에 물어봤다.

스위스 브랜드인 elna의 이 재봉틀은 작업을 할 때는 삼면으로 열려 위에서 보면 꽃잎처럼 생겼다. '로터스'라는 별칭은 그래서 생긴 것인데, 1960년대 말부터 생산된 것이라는 설명을 찾았다. 비슷한 모델의 제품이 무려 뉴욕의 MoMA에 전시돼 있을 정도다. 골동품 맞다, 우와. 닫으면 매우 작아져서 갖고 다니기 편하게 생겼다. 신혼 시절 아프리카에서 살았던 장인과 장모는 휴대가 용이한 저 재봉틀과 함께 차드 어딘가로 떠났을 것이다. 아내는 엊그제 재봉틀을 꺼내더니 셋째의 필통과 첫째의 머리 액세서리를 만들었다. 아직은 초보 수준이지만 저걸 하면 무아지경에 빠진다. 아내가 재봉틀에 집중하고 있을 때의 표정은 아마도 내가 아이들 방패를 만들 때의 표정과 같았을 것이다.

또 하나, 우리 부부의 생활 패턴 중 오래 붙어 지내기에 특화된 장점은 식사 준비를 한 명이 전담하지 않는다는 것이다. 사실 뭐 하나라도 한 명이 전담하는 것은 없다. 젖 물리기처럼 물리적으로 불가능한 것을 빼면 말이다. 나도 내가 요리를 이렇게 자주 하게 될지 몰랐다. 총각 시절에는 원룸에 흔한 전기밥솥 하나 없이 살 정도로 요리에는 문외한이거나 관심이 없었다. 생존을 위해 터득한 삶의 기술이라고나 할까. 지금은 혹시 내가 가족의 식사를 전담해야 할 경우가 생긴다 하더라도 한국 요리에 필요한 재료가 없어서 문제이지, 얼마든지 끼니를 제공할 수 있다. 물론 나를 짓누르는 저 근본적인 질문, "오늘 뭐 먹지?"는 사라질 리 없지만 원론적으로는 그렇다는 말이다. 유튜브 만세를 외치지 않을 수 없다. 혼자서는 라면도 못 끓이는 아버지의 아들로서는 일취월장이다. 요리 세계에 발을 들이면서 사랑하는 사람을 위해 내 손으로 식사를 준비하는 즐거움을 알게 됐다. 가끔 20~30명이 모이는 가족 모임에서도 한국 요리를 선보인다. 그럴 때면 아내의 친척들이 내게 "너 요리 좋아하냐?"라고 묻는데, 난 한 번도 "요리하는 거 좋아해."라

격리 후 두번째로 만든 김치

고 자신 있게 말해본 적이 없다. 내가 요리를 좋아서 하는 건지 의무감에서 하는 건지에 대한 확신이 들지 않았기 때문이다. 그런데 시간이 갈수록 내가 요리를 좋아하는지도 모르겠다는 생각을 하고 있다. 가족을 위한 요리는 의무감보다 즐거움이 앞서고, 요리하는 것 역시 집중을 했더니 방패 만들기 같은 치유 효과가 있다는 걸 깨닫고 있어서다. 어제 격리 이후 두번째 김치를 담그면서 스친 단상이다.

오늘 하루 프랑스에서 코로나 바이러스로 사망한 사람은 289명으로, 지금까지 총사망자는 2만4376명으로 집계됐다. 병원 사망자가 1만5244명, 요양원 사망자가 9132명이다. 입원 환자와 중증 환자는 지속적으로 줄고 있는데, 각각 2만6283명(전일 대비 551명 감소), 4019명(전일 대비 188명 감소)인 것으로 조사됐다. 완치자는 5만 명가량이다. 앙리 고모부는 사망자 수가 아니라 완치자 수에 포함될 확률이 높아졌다. 최근 큰아들 기욤이 단체 대화방에 올린 문자에 따르면, 앙리 고모부는 의식을 되찾았고 조금씩 기력을 끌어올리는 중이라고 한다. 의료진들이 기적적이라면서 축하해줬단다. 기욤은 오랜만에 병실에서 아버지와 한 시간도 넘게 이야기를 나눴다면서 기쁨을 전했다. 수많은 사람들의 염려와 기도를 전했더니, 앙리 고모부는 당장 전화로 그 모든 사람과 대화할 수 없는 게 너무 아쉽다고 했단다. 격리가 해제되면 완치된 앙리 고모부를 보러 갈 수 있을까, 기대했는데 여기서 파리까지는 100킬로미터가 넘는 관계로 그러지 못할 가능성이 더 크다. 멀리서 쾌차하길 응원하는 수밖에.

잔디 깎다가 엄마 생각

5월 1일(격리 47일째) 금요일 흐림

노동자의 날을 맞이해 육체노동에 나섰다. 오랜만에 잔디를 깎은 것이다. 격리 기간 동안 잔디를 깎은 횟수는 오늘까지 최소한 네 번은 되는 것 같다. 따뜻한 날씨에 가끔 비까지 내려주니 잡초와 잔디가 무럭무럭 자랄 수 있는 환경이었다. 예초기로 우선 가장자리를 다듬은 다음에 잔디깎기 기계를 돌리는데 예초기로 작업을 할 때면 항상 가슴 한편이 뜨거워지면서 고향의 엄마 생각이 난다. 내가 등에 메는 예초기를 처음 보고, 처음 만져보고, 처음 작동해본 것은 군대 시절이었다.

제대를 5개월쯤 앞둔 공군 병장 시절의 어느 날, 행정반에서 호출을 했다. 어떤 상사가 나보다 한 달 위, 나보다 한 달 아래, 나 이렇게 병장 셋을 모아놓고 너희들은 다음주부터 수목관리반으로 출근해라, 라는 통보를 했다. 비행장 내 녹색 지대의 청결 유지를 책임지던 수목관리반 팀원들은 원래 일명 방위병들이었는데, 단기사병 제도가 없어지면서 현역들이 그 일을 대신하게 된 것이다. 각 대대에서 서너 명씩 차출됐다. 이런 건 이병들한테 시키는 것 아니냐고 항변해봤자 소용없었다. 너희들이 가면 덜 시키겠지, 라는 되지도 않는 답이 행정반을 나가는 우리의 뒤통수에 꽂혔다.

기간은 세 달이었다. 수목관리반의 주임무는 제초작업이었다. 비행장의 녹색 지대가 얼마나 많은지는 비행기를 한 번만 타 봐도 다 알 수 있다. 활주로의 포장도로를 제외하면 다 잔디다. 물론 그 잔디를 다 예초기로 깎는 것은 아니지만 도로와 잔디가 맞닿는 곳, 그러니까 가장자리는 예초기로 다듬어야 한다. 활주로를 포함한 부대 곳곳의 잔디를 적당한 길이로 유지하려면, 예초기로 깎아도 깎아도 끝이 없다. 여기 끝에서 시작해 저기 끝까지 해놓으면, 처음에 했던 지역이 다시 웃자라 있다. 끝이 보이지 않는 단순 반복 작업을 하다 보면 어느 순간 예초기와 내가 하나가 돼 있는 듯한 느낌을 받는다. 나는 내 평생 흘릴 땀의 절반 이상을 그 세 달 동안 흘렸다고 말하곤 한다.

나의 현란한 예초기 실력이 프랑스에서 발휘될 줄, 그때는 전혀 몰랐었다. 시골에 사는, 더 정확히는 정원이 있는 집에 사는 남자들의 뇌 한구석에는 예외 없이 정원관리 폴더가 차지하고 있다. 프랑스는 특히 집으로 친구들을 초대하는 문화가 있어서 더 그렇다. 집에 오는 손님들이 잘 정리된 잔디를 보고 칭찬은 하지 않더라도, 관리가 엉망인 잔디를 보면 돌아가는 길에 분명 저 집은 뭔가 문제가 있는 게 분명해, 라고 생각할 확률이 높다. 그런 사태를 미연에 방지하려면 정원을 언제나 깔끔한 상태로 유지해야 하는 스트레스가 있는 것이다. 밀밭 한가운데 위치한 처가의 정원 넓이는 축구장 4분의 1 정도 되는 듯하다. 넓은 지역은 기계가 깎지만, 가장자리나 나무 밑동처럼 까다로운 부분은 예초기로 돌려야 한다. 예초기를 돌리지 않아도 그런대로 정원이 깨끗해 보일 수는 있지만 마감질이 안 된 인테리어 공사 현장처럼 어딘지 부족하다. 잔디깎기의 마침표는 예초기가 찍는 셈이다.

겨울을 제외한 계절에 처가에 가면 어김없이 아침 반나절 서너 시간 정도를 예초기 돌리는 데 사용한다. 도랑이나 나무 주변, 풀숲과 길가 등 까다로운 부분을 깔끔하게 해 두면 장인어른이 디젤모터로 돌아가는 대형 잔디깎기 기계로 나머지 넓은 부분을 도맡는다. 때로는

잔디 깎인 정원을 내려다보면 언제나 흐뭇하다.
이제 누구든 초대할 수 있지만 그럴 수 없다.

아이들이 장인어른의 트랙터 위에 올라타 함께 잔디를 깎는다. 그렇게 장인어른과 콤비를 이뤄 작업을 끝내고 정원을 바라보면 뿌듯하다. 아들이 없는 처가에서 내가 없어서는 안 될 존재가 된 것 같은 기분이 든다.

그런데 어느 날, 처가에서 장인 장모를 위해 매우 정기적으로 예초기를 돌리는 내가 우리 부모님에게 내 실력을 보인 적이 있었던가 하는 생각에 다다르게 됐다. 딱 한 번 그런 적이 있었다. 잔디 깎을 만한 정원이 부모님 집에 없는 관계로 한국에서 예초기를 사용하는 건 주로 추석의 벌초 시즌이다. 부모님 곁을 떠나 산 지 오래된 나는 도시에서 입에 풀칠하는 평범한 아들들이 그렇듯 추석 이틀 전에야 집에 가는 철없는 막내였다. 그래서 보통 추석 2~3주 전에 하는 벌초에 손을 보탠 적이 없었다. 그해가 몇 년도인지는 도저히 생각이 나질 않는다. 가족 납골당이 조성되기 전이니까, 15년 전쯤일지 모르겠다. 추석을 앞두고 어쩌다 그렇게 일찍 시골 부모님 집에 갔는지 기억에 없지만 아무튼 엄마와 함께 벌초를 하러 길을 나섰다. 엄마는 시원한 물이 든 보냉병을, 나는 예초기를 들었다. 우리는 차로 이동하며 몇 군데 산소의 벌초를 하고 내려왔다. 엄마는 "네가 하니까 금방이다."라면서 방학숙제를 끝낸 아이처럼 좋아했다. 무덤 주변 벌초는 넓지 않아서 오래 걸릴 일이 없다. 주차하고 산소까지 걸어가는 과정이 번거로울 뿐, 비행장 활주로를 누비던 내게 그 정도는 식은 죽 먹기였다. 나는 "별 것 아니네, 이걸 지금까지 누가 했대? 이제 내가 할게요."라고 자랑스럽게 말했다. 하지만 내 말은 공염불이 되고 말았다. 그 후로는 단 한 번도 엄마 앞에서 예초기 실력을 다시 보인 적이 없다. 이제 우리 가족이 모시는 조상들의 유해는 가족 납골당에 안치돼 있기 때문에 여러 장소를 돌면서 벌초하는 번거로운 일은 없어졌다.

우리집 정원 넓이는 시골 처가에 비하면 귀여운 수준이어서 예초기에 잔디깎기 기계 작업을 포함한다 하더라도 두세 시간이면 충분하다. 예초기 소리는 제삼자에겐 시끄러운 소음에 불과하지만 작업자에겐 오히려 집중을 돕는 역할을 한다. 칼날에 시원하게 잘려나가는 풀의 잔해와 칼날이 지나간 자리에 남는 정돈된 잔디를 번갈아 내려다보면 스트레스가 풀리는 느낌이다. 나는 지금도 예초기를 사용할 때마다 누군지 잘 기억이 안 나는 어떤 조상의 묘 앞에서 봤던 엄마의 그 해맑은 표정이 떠오른다. 내 예초기 실력을 더 자주 뽐냈더라면 엄마의 그 표정도 더 자주 볼 수 있었을 텐데 하는 아쉬움이 남지만, 처가에서 예초기를 돌리는 날 볼 수 있는 장모님의 기쁜 표정으로 그 아쉬움을 달랜다.

선택의 시간이다

5월 2일(격리 48일째) 토요일 흐림

5월 11일 이후 학교생활에 대한 구체안들이 슬슬 나오고 있다. 최근 교육부가 일선 학교에 보낸 63쪽짜리 지침에는 격리 해제 이후 다시 열리는 학교에서 지켜야 할 교사와 교직원, 학생들의 행동수칙이 자세하게 적혀 있다고 한다. 내용이 요약된 기사를 읽고 저걸 현장에서 과연 지킬 수 있을까 하는 생각이 자연스럽게 들었다. 아내가 다니는 학교는 아예 개학을 일주일 더 늦췄다. 개학 조치가 의무사항이 아니기 때문에 교장의 재량으로 그렇게 결정한 것이다. 교장은 화상회의에서 눈물을 보였다고 한다. 혹시 자신의 학교에서 감염자가 나오거나, 최악의 경우 사망자가 나온다면 전적으로 교장 책임이라는 것이 교육부와 교육청의 입장이기 때문이라고 했다. 현장에 너무 많은 짐을 떠안긴 게 견디기 힘들었던 것이다.

아내와 동료 교사들은 전반적으로 학교 문을 열겠다는 정부 결정이 정치인들의 위선을 드러내고 있다고 보는 것 같다. 정부가 현장에서 지키기 어려운 지침들을 내리고, 결과에 대해서는 책임을 지지 않으려는 태도를 유지하려 한다는 것이 그 이유다. 문제는 통제하기 어려운 아이들을 상대로 한 것이어서 더더욱 어떤 상황이 벌어질지 가늠하기 어렵다는 점이다. 정부 입장에서는 학교 현장 상황과 관계없이 어느 정도 경제가 돌아가게 하는 데는 성공할 수 있다. 이 선택이 어떤 결과를 불러올 것인지는 지켜볼 일이지만, 정부의 위선적 태도는 그 이후에도 계속될 것이다. 좋은 결과가 나오면 정부의 선택이 옳았다고 할 것이고, 2차 대감염으로 이어지면 학교 현장에서 수칙을 제대로 지키지 않은 것 아니냐는 의문을 제기할 게 뻔하다.

우리에게도 선택의 시간이 다가오고 있다. 담임교사들이 아이들을 학교에 보낼 것인지를 묻는 메일을 보냈다. 인원을 파악하려는 절차로 보인다. 인원을 알아야 교실 책상 배치나 반 재배치 등을 준비할 수 있을 테니까. 만약에 학생들이 너무 많으면 두 개 반으로 쪼개서 오전 오후반을 운영하거나 일주일씩 번갈아가며 학교에 오게 할 수도 있다. 아내가 다니는 학교는 시골지역의 초미니 학교여서 개학을 일주일 더 늦추는 결정을 내릴 수 있었지만, 우리집 아이들이 다니는 학교는 블루아 시내에서 제일 큰 초등학교 중 하나여서 그럴 수가 없을 것이다. 학교 교장 명의의 장문의 메일도 도착했다.

교육부 지침과 교장이 보낸 메일을 종합해보면, 부모는 학교

가기 전 아이들의 열을 체크해서 37.8도가 넘으면 집에 머물도록 조치해야 한다. 아이들이 학교에 도착하면 교사가 다시 한 번 열을 잰다. 학교에서는 한 곳으로 여러 사람이 몰리지 않도록 최대한 많은 문을 통해 학생들이 등교하게 유도한다. 내가 알기로도 학교 출입구는 최소한 네다섯 곳인데, 보통 정문을 제외한 나머지는 비상시에만 사용한다. 아마 다는 아니어도 두세 곳의 문은 더 열어 등하교에 사용할 것으로 보인다. 교육부의 지침은 최소한의 원칙이고, 세부적인 사항은 지역과 학교 특성에 맞게 바뀔 수 있다.

유치원 3학년인 셋째는 5월 12일, 초등학교 4학년인 둘째는 5월 18일이 첫 등교일이다. 교실 면적이 그리 넓지 않아서인지 교실당 인원을 최대 10명으로 제한했다. 교육부 지침은 15명이다. 학생들은 마스크를 쓰지 않아도 되지만 교사는 얼굴 전체를 막아주는 투명 캡을 착용하게 된다. 마트 계산원이 주로 사용하는 안면 가리개 말이다. 교실 안에서 서로 물건을 건네는 게 금지되고 혹시 다른 사람이 만진 물건을 만졌을 경우 곧바로 손을 씻고, 그 물건은 소독해야 한다. 교실 문은 항상 열어둔다. 손잡이를 여러 사람이 만지는 것을 피하기 위해서다.

쉬는 시간에도 개인 간격 1미터를 유지해야 하고, 각종 공을 포함해 어떤 운동 기구도 사용할 수 없다. 아직 구체적으로 정해지지 않았지만 아마도 학년별로 시간을 달리해 운동장을 사용하게 될 것으로 보인다. 화장실 사용은 정해진 절차를 엄격하게 따라야 한다. 환기를 위해 교실 창문은 수시로 열어놓고, 개방 상태를 최소한 10분 유지해야 한다. 하교 역시 쉬는 시간처럼 학년에 따라 다르게 적용된다. 급식실은 운영하지 않는다. 즉 오전 수업이 끝나면 아이들을 집으로 데리고 와서 점심을 먹인 다음 오후 수업 시작에 맞춰 다시 학교에 데려다 줘야 한다.

학교에서는 아이들을 학교에 보낼 것인지 여부를 최대한 일찍 결정해서 알려달라고 한다. 정부 자료와 학교에서 보내온 편지를 훑어보니 온갖 까다로운 규칙들이 복합적으로 뒤섞여 부모들로 하여금 차라리 집에서 원격수업을 하는 게 더 낫겠다는 생각이 들게 하려는 게 아닌가 하는 의구심마저 든다. 학교 입장에서는 학생들이 적을수록 관

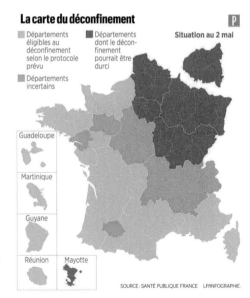

프랑스 정부가 발표한
지역별 격리해제 단계 지도에서
우리 지역은 주황색에 속한다. 《르파리지앵》

리가 수월할 것이기 때문이다. 부모가 결국 아이들을 집에 두는 결정을 내릴 경우, 실질적으로 격리는 지속되지만 공식적으로는 학교 문이 열린 효과가 나는 것이다. 학교장의 편지에는 한 번 결정을 하면 번복할 수 없다는 협박성 멘트까지 적혀 있다. 우리가 결정을 쉽게 내리지 못하는 이유 중 하나다.

중학생인 첫째는 학교 문이 다시 열리는 5월 18일, 예전처럼 등교하게 될 가능성이 커 보인다. 절친인 두 친구가 학교에 가는 게 이같은 결정에 가장 큰 영향을 미쳤다. 첫째는 벌써 학교에 가고 싶어 안달이 났다. 우리가 교내에서 지켜야 할 각종 수칙을 읊어주고 1미터 떨어져서 수다 떨어야 되는데? 라고 물었는데, 상관없단다. 중학교도 수칙은 초등학교와 비슷하지만 급식실을 운영하는 건 크게 다른 점 중 하나다. 다만 오전 공부를 하던 수요일은 학교에 가지 않는다.

첫째는 학교에 가고, 넷째는 집에 머무는 것이 상수로 굳어지는 것 같다. 변수는 둘째와 셋째인데, 만약 둘이 학교에 가지 않을 경우 '첫째가 없는 상황'의 격리 기간 연장이고, 학교에 가기로 결정하면 조금 복잡해진다. 아침에 학교 데려다주고, 11시 30분에 데려오고, 오후 1시에 데려다주고, 오후 4시 30분에 데려오고를 반복해야 한다. 여기에 만약 아내가 학교에 가서 집에 나 혼자 있게 되면 이 모든 과정을 넷째와 함께해야 한다. 그렇게 해서라도 둘을 학교에 보내야 할지, 그냥 데리고 있어야 할지 그게 고민이다.

프랑스 정부가 보건 비상사태를 2개월 연장하기로 결정했다고 한다. 원래는 5월 24일이었던 종료일이 7월 24일로 연기됐다. 5월 11일 이후 데파르트망의 감염 정도에 따라 전국을 녹색과 적색 지대로 나눈다고 발표했는데 우리가 사는 곳은 그 중간인 주황색으로 지정됐다. 녹색이면 계획대로 격리 해제에 들어갈 수 있고, 적색인 곳은 제한적인 격리 해제가 적용된다. 인구수가 많은 파리와 수도권을 비롯해 집단감염이 발생했던 동쪽이 주로 적색이다. 대서양이 있는 바닷가 지역은 대개 녹색이었다. 주황색은? 판단을 유보한 곳으로 아마 5월 11일이 되기 며칠 전에 녹색 또는 적색으로 색이 결정될 것으로 보인다. 내가 알던 것보다는 우리 지역 감염자가 많았었나 보다.

기쁜 소식 하나는, 정부가 스포츠 활동을 재개할 수 있도록 결정했다는 사실이다. 5월 11일 이후에는 아이들과 테니스장에 갈 수 있게 됐다. 자전거 타고 1킬로미터 넘어서 멀리멀리 피크닉도 가야 하고, 격리 이후 할 일의 리스트가 쌓이고 있다. 친구네 가족과 함께 가면 총인원이 10명이 넘게 되니까 가서 우연히 만난 것으로 하는 게 좋겠다는 일종의 알리바이까지 생각해뒀다.

성당 가는 길

5월 3일(격리 49일째) 일요일 흐림

평소보다 늦은 아침을 먹으며 여유를 부리고 있는 내게, 첫째가 물었다.

"오늘 미사 해요?" (한국어로는 '미사'를 '본다'고도 하지만 불어로는 하다(faire) 동사가 쓰인다. 그래서 딸은 한국어로 할 때도 '미사하다'라고 말한다.)

"해야지."

"몇 시요?"

"10시 반."

10시 30분에 가까워지자 성당에 갈 준비를 마친 우리 모두는 누가 먼저랄 것도 없이 하나둘 거실로 모여들었다. 나는 노트북을 열고 인터넷에 접속했다. 오늘은 블루아 대성당이 진행하는 페이스북이 아니라 블루아에서 차로 20분 정도 떨어진 조그만 마을 성당의 유튜브 채널로 들어갔다. 우리 부부와 친분이 있는 피에르 신부님이 있는 곳이다. 격리 이전에는 없던 수염을 덥수룩하게 기른 피에르 신부님의 모습이 유튜브 화면에 보였다. 미사에는 총 네 명의 신부님이 등장했다. 우리에게 친근한 신부님을 화면에서 만날 수 있다는 점이 평소 가톨릭TV 채널에서 하는 미사와 다른 점이다. 사람도, 공간도 익숙해서 실제 미사에 다녀온 느낌을 준다.

일요일이면 미사 시간에 맞춰 소파에 앉는 게 이제 어색하지 않은 일이 돼버렸다. 아니, 매우 자연스러운 일요일 오전의 일상이다. 처음엔 이렇게까지 해야 하나, 싶은 마음이 없었던 것도 아니지만 인터넷으로 대체하는 것 말고는 대안이 없었다. 한두 주 만에 끝날 일이었으면 원격미사를 걸렀을지 모르겠는데 벌써 여덟번째. 오늘 미사의 복음 내용이 양과 목자의 비유여서 더 그랬겠지만 신부님은 강론을 하면서 격리 중인 자신들을 위해서도 기도를 부탁한다고 했다. 신자들과 접촉을 할 수 없는 상황에서, 가족과 함께 지내지 않는 신부님들은 절대고독의 시간을 보내고 있을 것이다. 다만, 올해 사제서품 3년 차인 피에르 신부님에게는 조금 다른 의미인 것 같다. 엊그제 화상통화로 만난 그는 너무 빡빡한 일정을 보내고 있었는데 격리로 모든 관계가 끊어지자 몸도 마음도 재충전하는 기회가 되고 있다고 말했다. 부럽다, 는 말을 입 밖으로 꺼내진 않았다.

최근 정부 발표에 따르면, 종교행사는 6월 2일 이전에 재개되지 않는다고 한다. 교계에서는 반발이 있는 것 같다. 가톨릭에서는 주교회의가 마크롱 대통령과의 화상회의를 통해 학교 문이 열리는 5월 11일 교회도 열 수 있도록 해달라고 건의했다. 대형마트와 모든 상업시설은 물론 학교까지 개방되는 마당에 종교시설만 폐쇄를 유지할 이유가 있냐는 것이다. 개인 수칙을 엄격하게 적용해서라도 종교행사를 할수 있어야 한다고 주장했다. 교회 입장에서는 조금 양보하더라도 5월 31일로 예정된 성령강림대축일에는 미사를 할 수 있지 않을까 했는데 그 기대마저 무너진 게 뼈아팠던 것 같다. 정부 발표에 변화가 없다면, 빨라도 6월 7일 일요일 미사가 격리 해제 후 첫 주일미사가 될 것이다. 결과적으로 사순절의 재의 수요일부터 성주간까지, 그리고 이어지는 부활절과 성령강림대축일 등 가톨릭에서 매우 중요한 날들을 온라인으로 기념하게 되었다.

프랑스 가톨릭은 미사 금지는 어쩔 수 없다 치더라도 교회 차원에서 신자들과의 소통을 놓지 않으려고 부단한 노력을 하는 것 같다. 단순히 헌금이 줄어들어 이를 타개하려는 경제적 이유로 그러는 것 같지는 않다. 각 교구마다 헌금 사이트를 따로 운영하거나 원격미사 채널 아래에 헌금 링크를 공지하고 있어서 헌금이 아예 없지는 않을 것이기 때문이다. 정상적인 기간과는 비교하기 어렵겠지만, 프랑스 가톨릭 신자들의 성향상 인터넷 헌금 액수도 무시할 수준은 아닐 것이다. 참, 우리 데파르트망에서도 멀지 않은 리모주 교구의 일부 성당에서 고해성사를 드라이브 스루 방식으로 한다는 뉴스가 나왔다. 이쯤 되면 화상통화 앱을 통한 고해성사도 있을 법한데 아직 그 소식은 듣지 못했다.

일요일 오전 일과가 물 흐르듯 지나가고 나니 약간 무서운 생각이 들었다. 이렇게 격리된 생활에 익숙해져버리는 건가, 라는 질문과 함께. 익숙함이 무서운 이유는 격리가 끝나고 정상적인 생활로 돌아갔을 때 겪을지 모르는 심리적 저항 때문일 것이다. 거실 소파에 앉아서 원격미사를 하는 것은 성당까지 직접 가는 것보다 확실히 간편하다. 멀다는 이유로 평소에는 가지 못했던 성당에서 미사를 하는 장점도 있다. 넷째가 오늘처럼 미사 시간에 맞춰 자는 경우, 원격미사를 한다면 아무런 문제가 없지만, 성당에 간다면 자는 애를 깨울까 말까 고민해야 하는 애로사항도 있다. 또 미사 시간이 짧아서 점심 준비하기에도 안성맞춤이다. 적고 보니 원격미사의 장점이 한두 가지가 아니다. 익숙해진 데다 장점도 많으니, 원격미사를 그리워하게 될까?

그렇게 되진 않을 것 같다. 아이들과 나란히 성당까지 걸어가는 일, 흰 옷을 입고 제대 옆에 서 있는 첫째와 둘째를 멀리서 지켜보

리모주 교구의 한 성당에서 드라이브 스루로 고해성사를 실시했다. (《르피가로》)

는 일, 그 아이들과 눈빛으로 대화를 나누는 일, 미사 동안 셋째의 색칠놀이를 도와주는 일, 일주일 만에 만나는 성당 사람들과 미사가 끝난 뒤 잠깐이지만 서로의 안부를 묻는 일, 성당을 나오는 길에 신부님과 인사하며 "즐거운 일요일!"이라고 외치는 일은 원격미사로 대신할 수 없기 때문이다. 물론 6월 초부터 미사를 할 수 있게 된다 하더라도 사회적 거리두기 등 강력한 코로나 수칙 때문에 타인과의 접촉은 요원한 일이 될 것이다. 성당 미사까지는 아직도 최소한 한 달은 기다려야 한다. 자고 있는 넷째를 깨우는 번거로움이 있다 하더라도 성당 가는 길이 그립다.

여덟째 주

타루는 이렇게 덧붙였다.
"물론 그는 다른 사람들처럼 위협을 받고 있지만,
정확하게 말하자면 다른 사람들과 함께 위협을 받고 있는 것이다."
–알베르 카뮈, 《페스트》

68세대 이웃이 있다는 건

5월 4일(격리 50일째) 월요일 맑음

아부바카가 우리집 담벼락에 서서 셋째 이름을 부르며 "노올자!"라고 했던 그 순간, 이웃과의 사회적 거리는 무너진 것으로 봐야 했다. 아부바카의 엄마가 사회복지시설에서 간호조무사 보조 일을 한다는 말을 듣고 둘이 같이 안 놀면 안 될까, 하는 소심한 걱정을 한 적도 있지만 이미 둘 사이에 우정이 자리 잡고 있다는 걸 부인할 수 없게 됐다. 이젠 아부바카의 엄마가 감염되지 않기만을 바랄 수밖에 없다.

사실 2주 전쯤인가, 며칠 동안 아부바카가 안 보이던 때가 있었다. 이웃집 안니가 아내에게 문자를 보냈다. 아부바카 엄마가 일하는 복지시설에서 감염자가 나왔다며, 아부바카 엄마도 코로나19 검사를 받았고 결과를 기다리고 있다는 내용이었다. 당분간은 아부바카가 안니의 집에도 오지 않고 자기 집에만 있을 것이라고 덧붙였다. 얼마 후 아부바카 엄마의 검사 결과가 음성으로 나오자 아부바카는 더 자주 안니의 집에 왔고, 셋째와 더 자주 붙어 다녔다.

아내는 이웃집 안니와 격리 이전보다 훨씬 더 친해져 있었다. 안니는 오늘도 우리 가족 모두를 초대해 크레페를 대접했다. 그는 브르타뉴 출신답게 크레페와 함께 약한 과일주 일종인 사과 시드르를 내놓았다. 아내와 안니가 친해지면서 우리는 아부바카 가족의 이야기도 더 잘 알게 됐다. 기니 출신인 아부바카의 엄마는 동네 부족장쯤 되는 유력한 집안의 아들과 사랑에 빠져 임신하게 됐는데, 혼전임신에 대한 안 좋은 시선 때문에 쫓기듯 프랑스로 건너와야 했다고 한다. 시선도 시선이지만 남자는 기독교도, 여자는 이슬람교도여서 이루어지기 어려운 관계였다. 기니를 지도에서 찾아보니 아프리카 서쪽 대서양 연안에 위치하고 있었다. 주변에는 시에라리온, 말리, 라이베리아 같은 나라들이 있는데, 이들 나라의 리스트와 기니에 금이나 철광석이 많다는 설명을 보자 괜히 무서운 나라일 것 같았다. 다이아몬드 광산, 내전, 총을 든 어린이, 마약, 가난, 기아 이런 단어들이 떠올랐다. 내 선입견과 기니의 실제 상황은 아무런 연관성이 없을 가능성이 높다. 실제로 사람의 눈을 멀게 하는 두려움은 언제나 무지에서 비롯된다.

만약 그대로 남았더라면 아부바카의 엄마는 다른 남자의 두 번째, 또는 세번째 부인이 되어야 하는 상황이었다고 한다. 아부바카의 생물학적 아버지가 구해준 항공권으로 아부바카의 엄마는 홀로 프랑스에 와서 미혼모로 지내다가 직장을 구하고, 안니 같은 고마운 사람도 알게 돼 새로운 삶을 살고 있는 거였다. 안니는 이민자 구호단체를 통해서 이 모자를 알게 됐는데, 아부바카가 걷기 시작할 무렵부터 돌봐온 터라 아부바카를 손자로 대하는 것 같다. 아부바카 역시 안니를 할머니처럼 대한다. 안니는 딸이 하나 있는데, 자녀가 없다. 아직 초등학생도 아닌 아부바카가 읽고 쓰기를 평균 이상으로 잘하는 것은 순전히 안니 덕이라고 아내와 나는 입을 모았다. 아부바카를 보면서 엄마가 누군지 몰라도 복이 많은 사람이라고 넘겨짚었는데, 엄마의 기구한 사연을 듣고 나니 이 험한 세상을 아부바카와 헤쳐가려면 그 정도 복은 필요하겠구나 하는 생각이 들었다.

옆집으로 이사 온 지 1년이 채 안 된 안니와 자키를 보면 존경심이 들 때가 있다. 남부럽지 않은 직장 생활을 하다 은퇴를 했으니 이제 남들 신경 쓰지 않고 그냥 자기만 보면서 삶을 즐겨도 되는데 말이다. 피 한 방울 안 섞인 아부바카를 정성으로 대하는 것이나, 사회단체에서 봉사하는 모습을 보면 매주 미사에 참석하는 가톨릭 신자는 아니지만, 더 기독교적인 삶을 실천하고 있는 사람들이라는 생각이 든다. 예를 들면, '네 이웃을 사랑하라'와 같은 계명들 말이다. 내가 보기에 안니와 자키 커플은 68세대의 전형이다. 68세대는 1968년 5월 혁명의 세례를 받은 사람들을 말하는데, 이들은 모든 권위주의에 저항하는 차원에서 웬만해서는 존댓말(vous)을 하지 않는다. 평등과 인도주의 등을 몸소 실천하는 1950년대 생들을 만나면 68세대가 떠오른다. 종교가 있는지의 여부는 중요하지 않다. 아니, 오히려 종교조차도 권위주의의 소산으로 보고 배척하는 경우가 많다. 아내가 안니와 자키를 편안하게 받아들이는 이유는 나이뿐 아니라 행동에서도 이들이 장인 장모와 비슷한 점이 많기 때문일 것이다. 다만 장인 장모는 종교적이라는 게 다르다.

실제로 안니와 자키가 68혁명의 영향을 얼마나 받았는지는 알 수 없다. 그들이 사는 모습에서 내가 그런 느낌을 받는다는 것이다. 그리고 가톨릭 신자인 나 자신에게 이런 질문을 해본다. '나는 저들처럼 사는 게 가능한가?' 자발적 가난을 기꺼이 받아들이는 듯한 매우 단순한 삶. 나는 아프리카 출신의 미혼모에게 정성을 다해 도움을 줄 수 있는가. 생판 모르는 시리아 난민들을 돌봐줄 수 있는가. 어려움에 처한 이들에게 마음을 여는 데서 그치지 않고 집 대문까지도 열어줄 수 있는가, 안니와 자키가 아부바카 가족에게 하는 것처럼. 내가 정신이 멀쩡하다면 언제든 내게 되돌아올 무거운 질문들이다.

우리 아이들은 5월 11일이 아니라 5월 18일부터 학교에 나가는 걸로 결정했다. 학교에서 보낸 편지에 두루뭉술하게 표현돼 있어 우리가 이해하지 못했던 것은, 학생 규모를 10명 이하로 하기 때문에 두 반으로 나누어 오전 또는 오후반으로 운영한다는 점이었다. 그래서 급식실을 운영하지 않아도 되는 것이다. 즉 오전반은 평소처럼 8시 30분까지 학교에 와서 11시 30분경 하교하고, 오후반은 13시 30분경 학교에 와서 16시 30분경 하교한다. 집에 데려와서 점심을 먹이고 다시 오후에 학교에 데려다주는 번거로운 과정은 없다는 이야기다.

우리는 어차피 코로나 바이러스가 이른 시일 안에 사라질 것이 아니기 때문에 함께 사는 법을 배운다는 차원에서 아이들이 학교에 가는 게 낫겠다고 판단했다. 또 학교에서 날마다 학습자료가 온다고 해도 집에서 할 수 있는 것은 한계가 있다는 걸 깨달았다. 홈스쿨링을 하고 있는 모든 가족에게 경의를 표하는 바다. 아이들을 학교에 보내기로 결정은 했지만, 어쩐지 5월 11일 전국적으로 학교 문이 열리고 나서 일주일이 안 된 시점에 프랑스 어딘가에서 학교를 중심으로 한 대감염이 발생해 5월 18일 전에 다시 학교가 폐쇄될지도 모른다는 느낌적인 느낌도 든다. 사실 아이들이 학교에 가는 것보다 나를 더 설레게 하는 일은 5월 11일부터는 증명서를 쓰지 않고도 100킬로미터 이내는 어디든 돌아다녀도 된다는 점이다.

출구전략이 필요할 때

5월 5일(격리 51일째) 화요일 흐리고 비

때로는 나가는 일이 더 중요한 법이다. 정치인이 단식을 할 때도 시작은 쉬우나 끝이 어렵다. 대개는 이뤄지기 어려운 조건을 명분으로 달고 단식에 들어서기 때문이다. 비장한 표정으로 조건이 관철되기 전에는 단식을 멈추지 않겠다, 라고 선언한다. 문제는 그렇게 해서 조건이 관철되는 걸 본 적이 거의 없다는 사실이다. 그래서 중요한 것이 바로 출구전략이다. 이 전략을 잘 짜는 사람을 우리는 정치에 능한 사람이라고 한다. 격리 해제가 눈앞으로 다가오는 이 마당에 우리에게 필요한 것도 출구전략이다.

첫째의 방을 칠하고 남은 페인트와 각종 도구들을 창고에 정리하지 않고 계단 구석에 치워뒀었다. 계단 벽이 갈라지고 지저분해서 다시 칠하면 좋겠다는 생각을 오래전부터 하고 있었기 때문이다. 이제 격리가 해제되면 브리꼴라쥬에 매달리기가 더 어려워질 수 있고, 남은 흰색 페인트도 넉넉하다는 점이 다시 작업복을 입게 만들었다. 능숙한 자세로 페인트칠을 위한 준비작업에 들어갔다. 날짜를 세어보니 곧 이 동금지령이 풀린다. 격리가 해제된다. 이제 마무리를 할 시간인 것이다. 출구전략은 단식을 시작한 정치인만이 아니라 격리 중인 가장에게도 필요하다.

넷째의 보육원에서 연락이 왔다. 우리는 최악의 경우 보육원에 보내지 못할 상황까지도 예상하고 있었는데, 일주일에 3일은 넷째를 보내도 된다고 했다. 화요일과 목요일, 금요일. 인간이 얼마나 바이러스에 취약한지는 넷째의 사례를 보면 그냥 알 수 있다. 보육원에 갓 들어간 지난해 9월에 뇌막염 예방접종이 예정돼 있었다. 의사가 써준 처방전을 가지고 약국에서 백신을 산 뒤 날짜에 맞춰 의사에게 가면 놓아주는 방식이다. 그런데 그 처방전이 그대로 아이의 건강수첩에서 잠자고 있다. 보육원에 들어간 뒤 매일 콧물, 기침, 콧물, 기침의 연속이었기 때문에 주사를 맞으러 갈 수가 없었던 것이다. 격리된 뒤로 넷째의 컨디션은 최상을 유지하고 있다. 예방접종을 위해 의사와 내일 약속 시간을 잡았다. 넷째 또래 아이들은 특히 침을 자주 그리고 많은 양을 흘려서인지 같은 반 아이들끼리 아예 바이러스를 공유하면서 산다는 느낌을 받았다. 그러면서 인간이 되는 것이리라.

첫째의 경우, 학교에서 급식 관련 정책이 전과 달라졌다고 연락이 오는 바람에 등교 여부를 아직 확정하지 못했다. 첫째는 손이 가장 덜 가는 아이여서 본인만 반대하지 않으면 집에서 혼자 공부를 해도 우리 입장에서는 크게 달라질 게 없다. 첫째의 입장은 처음부터 지금까지 단호하다. "샤를롯과 콩스탕스가 학교 가면 나도 가고, 걔네가 안 가면 나도 안 갈래요." 단호하지만 독립적이진 않다. 아내는 오후 내내 둘의 엄마들과 통화를 하는 듯했다. 아직 결론을 내리진 않았는데 안 가는 쪽으로 약간 기우는 것 같았다. 프랑스어 등 주요 과목 교사들이 학교에 오지 않고 원격으로 수업을 진행한다는 점도 우리의 결정에 영향을 주고 있다.

뛰어난 통찰로 논쟁적 작품을 쓰는 프랑스 작가 미셸 우엘베크가 격리 이후 세계에 대해 한마디 했다. 한 라디오 방송에 공개편지를 쓴 것인데, 바이러스가 지나간 뒤 '새로운 세상'이 올 것이라고들 하지만 그는 "반대로, 정확히 똑같을 것이다. 바이러스의 발전과정도 놀라우리만치 일반적이다."라고 밝혔다. 그는 코로나 바이러스가 "인간의 접촉을 감소시키는 경향이 있는 어떤 돌연변이를 가속화한 것뿐이며, 인간관계의 퇴행이라는 그 도저한 흐름에 훌륭한 이유를 제공한 것이다."라고 썼다. 그리하여 그는 바이러스 이후의 세상이 "약간 더 나빠질 것"이라고 봤다.

우엘베크는 2022년 프랑스 대선에서 이슬람 정당 인사가 이긴다는 내용의 소설 《복종》(2015)을 출간해 큰 화제를 불렀다. 그 자신이 여러 문학상을 받은 베스트셀러 작가이기도 하지만, '프랑스의 무슬

림 대통령'이라는 작품 설정이 충격적이어서 논란이 됐을 것이다. 게다가 말이 안 된다고 치부하기에는 이야기 전개가 그럴듯하다. 풍자에 능한 작가들이 그렇듯 우엘베크에게도 촌철살인이 있는데, 코로나 사태이후 처음으로 밝힌 견해가 무척 그로테스크하다. 다만 소설이 그랬던 것처럼 그럴듯하다는 게 더 꺼림칙하게 다가온다. 그의 글을 소개하는 기사 말미의 문구가 의미심장하다. "비관주의인가, 통찰력인가."

　　　프랑스 정부의 출구전략은 그런데, 그리 썩 매끄러워 보이진 않는다. 5월 11일 개학 등 격리 해제 대책을 놓고 대통령과 총리가 마찰을 빚고 있다는 기사가 연일 나오고 있다. 과학아카데미는 애당초 9월 새 학기 때까지 학교 문을 닫아야 한다고 대통령에게 보고서를 올렸는데, 대통령이 5월 11일로 최종 결정을 내린 것이다. 아마도 총리는 과학자들의 의견을 수용해야 한다고 보는 쪽이었던 것 같다. 이후로도 국회에서 보고하고 표결에 부치는 문제 등 사사건건 부딪히는 모습이다. 엘리제 측은 불화가 아니라고 밝혔지만 그걸 믿는 사람은 별로 없

출구전략을 찾는 넷째의 뒷모습

다. 오늘 흥미로운 설문조사도 나왔다. 주간지 〈파리 마치〉의 월간 정기 조사인데, 마크롱 대통령의 인기도가 6퍼센트 포인트 하락해 40퍼센트가 된 반면, 필립 총리는 3퍼센트 포인트 올라 46퍼센트가 됐다. 이쯤 되면 굳이 사이가 좋다고 항변하는 게 더 이상할 판이다.

우리 가족의 코로나 브레이크 출구전략은 나의 페인트칠로 시작됐다. 천천히 명상하듯 벽의 갈라진 부분을 때우고, 평평하게 고르고, 한 겹 두 겹 페인트를 칠할 것이다. 깨끗해진 벽을 바라보며 계단을 오르내릴 때마다 흐뭇하겠지. 요즘 날씨가 꿀꿀해서 정원에 나가지 못하고 있는데, 이번 주가 가기 전에 해가 나오면 바비큐 파티라도 하면서 격리가 끝났음을 축하하는 전략도 구사해볼 만하다.

독일로 가는 소포

5월 6일(격리 52일째) 수요일 맑음

아침부터 분주하게 움직였다. 독일 처제 집으로 보내는 소포가 다음주까지 도착하려면 오늘 준비해서 내일은 부쳐야 한다. 더구나 수요일은 학과 공부가 없는 날이어서 아이들도 세 살 생일을 맞게 될 루이즈의 선물 준비에만 몰두할 수 있다. 처제는 4년 전 독일남자 시몬과 결혼했다. 장인 장모를 아는 사람들은 사위들의 국적이 다양하다고 한마디씩 한다. 프랑스어 실력이 고만고만한 우리 둘은 꽤 잘 통하는 사이다. 여름휴가 때 처가에서 내가 바비큐 장작을 피우고 있으면, 시몬은 아뻬로 한 잔을 갖다 준다. 우리는 잔을 부딪치며 대화를 이어간다. TV로 축구를 보는 것보다 운동장에서 직접 뛰는 걸 더 좋아한다는 것은 우리 둘의 닮은 점 중 하나다. 시몬과 축구를 떠올리면 2018년 여름 월드컵을 잊을 수 없다. 독일을 2대0으로 이겨버린 그 역사적 경기 말이다. 당시 나는 처가에, 시몬은 독일에 있었는데 경기가 끝나자마자 시몬이 축하 메시지를 보내왔다. 문자에 처량함이 묻어 있었다. 나는 긴 말 하지 않고 그냥 고맙다고만 답했다.

　루이즈는 결혼 이듬해에 태어났는데, 하나밖에 없는 동생 아이여서 그런지 아내가 각별하게 챙긴다. 또 나는 루이즈의 대부여서 그냥 지나칠 수 없는 사이다. 처제는 우리 둘째의 대모이고, 시몬은 넷째의 대부이다. 우리는 그렇게 얽히고설켜서 서로에게 특별한 존재다. 독일어와 프랑스어를 섞어가며 말하는 루이즈는 우리집 넷째가 태어나기 전까지 집안의 귀염둥이 역할을 담당했었다. 둘째를 가지려고 노력하던 처제가 몇 번의 실패 끝에 최근 임신을 했다. 이번 세 살 생일은 아마도 루이즈가 외동딸로서 맞는 마지막 생일이 아닐까.

　아이들은 각자 정성이 담긴 카드를 만들었다. 첫째는 열었을 때 촛불 세 개가 꽂힌 케이크가 나타나는 입체카드를 만들었고, 둘째는 빨간색 하트가 주르륵 나타나는 입체카드를 만들었다. 셋째는 생일날 풍경을 상상해서 그렸다. 루이즈의 세례식에 참석하기 위해 지난해 10

세 살 생일을 맞은 사촌동생을 위해
아이들이 손수 만든 축하카드

월 그 집에 가서 일주일 정도 머물러서인지 그 집 구조를 구체적으로 표현한 게 눈에 띄었다. 카드가 끝이 아니었다. 올해 우리가 준비한 루이즈의 메인 선물은 동화를 읽어주는 기계, 정도 되는 물건이다. 한국어로는 도저히 마땅한 표현을 찾을 길이 없어 동화책 리더기라고 이름 붙이기로 했다.

애플리케이션에 동화를 직접 녹음하고, 스마트폰을 동화책 리더기에 와이파이로 연결시키면 녹음이 리더기로 옮겨간다. 리더기에는 100개 정도의 동화를 저장할 수 있는데, 예를 들면 엄마 목소리로 녹음된 콩쥐팥쥐, 아빠 목소리로 된 백설공주, 할머니 목소리로 된 신데렐라 등을 들을 수 있다. 인터넷으로 상품을 봤을 때는 아이디어가 훌륭하다고 손가락을 추켜세우는 정도였는데, 직접 기계를 다뤄보니 훨씬 더 그럴듯했다. 아내는 대형마트의 도서 코너에서 우리 가족의 목소리로 녹음할 동화책을 사 왔다. 아내가 마트에 간 것은 격리 이후 처음이었다.

아내는 전과 다른 마트 풍경이 너무 낯설어서 적응하기 어려웠다고 말했다. 마스크 때문에 표정을 알 수 없는 사람들, 계산원과의 사이에 놓인 유리벽, 텅텅 비어 있는 밀가루 진열대 등이 생경하게 다가왔다고 했다. 더 받아들이기 어려웠던 건 사람이 사람을 피하는 것 같은, 꼭 그래야 할 것만 같은 차갑고 가라앉은 분위기였다고 한다. 마트를 자주 다닌 내 입장에서는 무슨 말인지 이해할 수 있을 것 같았다.

어제 읽은 우엘베크의 글에서 말한 "약간 더 나빠질" 세상이 바로 이런 것일까, 라는 상상을 했다.

　　아내가 사 온 동화책에는 총 여덟 개의 이야기가 들어 있었다. 첫번째 이야기는 아내와 첫째가 녹음하고, 두번째 이야기는 나와 둘째가 녹음했다. 스마트폰 애플리케이션에는 동물들의 울음과 효과음 소리 옵션도 추가할 수 있어서 녹음을 끝내고 직접 들어보니 그럴듯했다. 녹음하는 아이들도, 우리도 즐거운 시간을 보냈다. 우리는 "안녕 루이즈, 너에게 읽어줄 동화 제목은 백설공주야, 지금부터 잘 들어봐……."로 이야기를 시작했다. 무엇보다 멀리 사는 가족의 목소리로 아무 때나 동화를 들을 수 있다는 게 루이즈에게는 큰 선물이 될 거다.

　　지난해 크리스마스에 우리는 셋째에게 약간 다른 버전의 동화책 리더기를 선물했다. 일종의 쌍방향 동화인데, 아이가 직접 주인공을 고르고, 이야기의 배경을 고르고, 다른 등장인물을 고르고, 소재가 되는 물건을 고르면 동화를 들려준다. 리더기 안에는 총 48가지 동화가 내장돼 있다. 리더기 회사의 홈페이지에서 새로운 이야기들을 얼마든지 다운로드할 수 있다. 물론 유료다. 셋째가 그 기계에 꽂혀 있을 때는 혼자서 꽤 오랫동안 동화를 들으며 놀기도 한다. 우리는 대체로 산만한 셋째의 집중하는 모습을 보면서 오우 선물 잘 골랐군 정말 괜찮은 물건이야, 라고 감탄했는데 이번 루이즈의 선물은 업그레이드 버전이다. 다만 선물을 완성시키기 위해 어른들의 정성이 좀 필요하다는 게 다른 점이다. 선물을 받아 리더기를 켜보고 우리 목소리를 들은 뒤 기뻐할 루이즈의 얼굴을 떠올리며 우리는 흐뭇해졌다.

격리 해제와 운전 습관

5월 7일(격리 53일째) 목요일 맑음

격리가 해제되는 다음주 월요일부터 적용되는 자세한 정보들이 오늘도 나왔다. 대부분은 이미 알고 있는 내용이지만 각 항목의 디테일이 추가됐다. 에두아르 필립 총리가 오늘 오후 기자회견을 열고 5월 11일 격리 해제의 세부대책을 발표했다. 그는 "다음주 월요일은 우리 각자가 수칙을 준수하고 각자에게 책임감이 요구되는 새로운 단계의 첫날이다. 완벽하게 정상적인 생활을 할 수는 없을 것이다. 단계적 격리 해제 조치가 경계를 소홀히 해도 된다는 의미가 돼선 안 된다."라고 강조했다.

전국을 녹색과 적색으로 나눈 지도가 공개됐다. 주황색을 포함해 세 가지 색으로 구분했는데 오늘 발표에서는 주황색이 빠졌다. 우리 지역은 주황색에서 녹색으로 바뀌었다. 파리가 포함된 수도권과 북동쪽의 네 개 레지옹(광역단체)이 적색으로 분류됐다. 이 분류는 6월 7

일까지 유효하다. 적색 지역에서는 공원과 공공장소, 중학교 폐쇄가 지속되는데, 그 외에 눈에 띄게 다른 점은 없다. 이렇게 지정한 이유는 징벌적 의미가 아니라 해당 지역에 살거나, 해당 지역에 가는 사람들에게 경각심을 불러일으키려는 의도가 크다. 우리나라에서 확진자 동선을 보고 다른 사람들이 경계했듯이, 적색인 레지옹은 감염자가 많은 지역이니 코로나 수칙을 더 잘 지키라는 뜻으로 이해했다.

87~90퍼센트 시군구의 80~85퍼센트에 달하는 초등학교가 예정대로 5월 12일 문을 연다. 예상보다 수가 많다. 수도권 지자체 300여 곳이 최근 정부에 학교 문을 열지 않도록 하겠다고 공개편지를 쓴 적도 있었기 때문이다. 그럼에도 불구하고 개학하는 학교가 많아진 것은 정부가 지자체장이 거부할 여지를 없애버렸기 때문이다. 정부의 협박에도 끝내 문을 열지 않는 학교의 지자체는 불이익을 받게 될 것이라고 한다. 우리 데파르트망에도 학생수 364명짜리 조그만 시골 초등학교가 폐쇄조치를 이어가기로 결정했다.

며칠 전 총리가 밝혔던 것처럼 이동은 100킬로미터 이내에서 자유롭게 허용되고, 그 이상을 벗어날 때는 증명서를 지참해야 한다. 어길 시에는 135유로의 벌금이 부과된다. 대도시가 아닌 곳은 상관이 없지만, 정부에서 가장 골머리를 앓는 사항이 출퇴근 시간 대중교통에서 어떻게 개인 간 거리를 유지하느냐, 이다. 그래서 출퇴근 시간에는 격리 중인 지금의 우리가 외출할 때 예외사항으로 인정받는 것과 동등

한 이유가 있어야만 대중교통을 이용할 수 있다. 다시 말해 출퇴근 시간에 친구 집에 가기 위해 지하철을 타서는 안 된다는 말이다. 역시 벌금은 135유로. 대중교통 안에서 마스크 착용이 의무화되고, 어기면 135유로의 벌금이 부과된다. 벌금만능주의라 할 만하다.

한국과 프랑스 두 나라에서 운전을 해본 내 입장에서 운전자의 준법의식은 확실히 프랑스가 뛰어나다. 반면 보행자는 한국 사람들이 훨씬 신호를 잘 지킨다. 프랑스 운전자들이 법규를 잘 지키는 이유는 뭘까. 그것은 생각할 것도 없이 어겼을 때 부과되는 벌칙이 겁나기 때문이다. 면허증을 따면 12점이 주어지는데 위반을 할 때마다 점수가 줄어들고, 일정 기간 동안 법규 위반을 하지 않으면 다시 채워진다. 속도(10킬로미터 이상) 위반은 1점, 운전 중 전화 3점, 정지선을 포함한 신호위반 4점 등. 물론 위반할 때마다 벌금도 함께 내야 한다. 벌금보다는 점수가 은근히 성가시게 한다. 단 1점만 부족해도 최소한 6개월은 절대 위반을 하지 않아야 한다는 부담감이 생기기 때문이다. 11점 상황에서 또 1점이 사라지면 가중처벌로 2년을 기다려야 한다. 10점에서 2년 내에 신호위반이라도 하게 되면 6점. 재수 없어 전화하다 걸리면 3점밖에 안 남는다. 점수가 6점 미만인 경우 이틀 교육을 받고 4점을 충전시킬 수 있다. 돈과 시간을 내고 점수를 사는 것이다. 이렇게 귀찮고 스트레스 받는 과정을 겪지 않으려면 위반하지 않으면 된다. 그래서 대부분의 프랑스 운전자들이 교통법규를 잘 지키는 것이다.

이번 코로나 사태에서도 마찬가지다. 남의 통제를 받기 싫어하고 자유분방한 프랑스인에게 코로나 바이러스에 대항하기 위해 꼭 필요한 사회적 거리두기 같은 수칙을 잘 지키게 하는 방법은 자율성에 호소하는 게 아니라, 그냥 벌금을 때리는 것이다. 이 방법을 쓸 때 가장 중요한 전제는 제대로 집행되어야 한다는 사실이다. 즉 "한 번만 봐주세요."나 "싼 걸로 끊어주세요."라는 말이 절대로 통해선 안 된다. 한국 운전자들이 법규 위반이 잦은 것은 대부분 준법의식이 낮아서가 아니라 벌칙이 효과적으로 적용되지 않아서 나타나는 결과다. 위기의 순간 빛을 발하는 한국인의 시민의식은 이번 코로나19 사태에서도 여실

격리 해제 이후를 준비 중인 학교 모습
(SMB 초등학교 페이스북)

히 드러났다. 그에 비해 한국 운전자들의 준법의식은 낮게 느껴진다. 예를 들어 나는 한국에서 운전할 때 새벽에도 신호를 지키는 편인데, 그렇지 않은 차들이 훨씬 많다. 또 정지선에서 브레이크를 끝까지 밟아 '일단정지' 하지 않고 차가 안 오면 슬그머니 정지선을 통과해버리는 차들도 많다.

그건 그렇고, 아이들 학교에서도 4쪽짜리 통신문이 왔다. 5월 12일 개학에 맞춰 아주 세부적인 사항까지 총정리를 했다. 전에 없던 것 중 추가된 내용이라면, 학교와 집을 오가는 물건을 최소화하기 위해 책가방은 학교에 두게 된다는 것, 옷을 매일 갈아입어야 한다는 것 등이었다. 학교가 운영하는 SNS를 보니 쉬는 시간에 아이들이 지내게 될 운동장에서 1미터 간격을 맞출 수 있게 바닥에 테이핑을 하고, 교실 책상 역시 1미터가 유지되도록 배치하는 등 교직원들은 벌써 학생들 맞을 준비에 분주했다.

엊그제 안니와 자키 집에서 크레페를 간식으로 먹던 날, 나는 허락을 구하고 식탁에 있던 지방신문을 들춰봤다. 자키는 "너 기자였다고 했지. 우린 뭐 낱말 맞추기나 하려고 보는 거야."라고 말했다. 다음날 우편함을 보니 신문이 들어 있었다. 이웃이 놓고 갔다는 것을 알 수 있었던 건, 누군가 낱말 맞추기 페이지의 문제들을 성실하게 연필로 푼 흔적이 고스란히 남아 있었기 때문이다. 그들이 놓고 간 지방신문 덕분에 지난 5일 기준으로 블루아가 속한 데파르트망의 총사망자는 87명이고, 입원환자는 전날보다 4명 많은 142명, 중증환자는 3명 적은 9명이라는 것을 알게 됐다. 오늘 테라스에 있을 때, 쓰레기통을 집 안으로 들여놓는 자키가 멀리 보이자 "신문, 고마워!"라고 외쳤다.

우리는 행복한 가족일까

5월 8일(격리 54일째) 금요일 한때 비

아침식사를 끝내고 식탁을 나서면서 평소와 다름없이 아이
들을 향해 말했다.

"자, 얼른 씻고 옷 갈아입자. 9시 30분까지 공부 준비해야지."
"아빠, 오늘 쉬는 날이거든요."

첫째의 대답에는 정말 답답하게 아무것도 모르면서 아침부
터 우리를 재촉하고 계시는군요, 라는 문장이 생략된 것 같았다. 기어
들어가는 목소리로 어, 그래 몰랐어, 라고 말하면서 나는 오전 스케줄
을 시작했다. 주초에 시작한 벽 페인트칠이 마무리 단계에 와 있었다.

격리기간에 웬 쉬는 날이 이렇게 많아, 부활절 방학 2주에,
노동절에, 오늘은 또 뭐지, 라고 생각하면서 달력을 훑어봤다. 빨간색

글씨로 승전기념일이라고 쓰여 있었다. 더 정확히는 'Victoire 1945'였는데 제2차 세계대전 승리를 기념하는 날이라는 뜻일 것이다. 제2차 세계대전의 끝은 8월 아닌가, 라고 생각하며 인터넷을 뒤졌다. 독일이 연합군에 항복한 날이 5월 8일이었다. 그러니까 독일이 항복한 뒤에도 일본은 3개월이나 더 버티고 기어이 원자폭탄을 맞은 뒤에야 항복을 한 것이다. 아이들 공부시키려다 아침부터 내가 세계사 공부를 했다. 5월 8일이 왜 공휴일인지 궁금해서 언젠가 분명히 찾아본 것 같은데 그새 까맣게 잊은 것이다. 어려서 하는 공부가 중요하다는 사실이 새삼 이런 식으로 증명된다.

나는 작업복으로 갈아입은 뒤 작업장소인 계단을 향해 갔고, 아이들은 파자마 바람으로 각자 방에 돌아갔다. 오늘 저녁이면 계단의 벽은 새하얗게 될 참이다. 하얀색 페인트를 골고루 섞고 있는 내게 첫째가 와서 아이패드 좀 써도 되냐고 물었다. 플레이모빌로 동영상을 만들고 싶다고 했다. 내 승낙이 떨어지자 첫째는 조수인 둘째를 불러 자기 방으로 갔다. 스틸 사진을 여러 장 찍어 만드는 동영상을 만들 모양이다. 오늘의 에피소드는 엄마 아빠와 아이가 둘인 가족이 공항으로 향하는 것이었다. 집에서 엄마 아빠는 아이들을 깨우고, 엄마는 화장을 하고, 아이들 옷을 입히고, 네 가족 모두가 차에 타고, 고속도로를 지나 공항으로 가서, 줄을 서고, 검색대를 통과하는 게 줄거리 전부다. 아이들은 이 장면을 표현하기 위해 사진을 150장 넘게 찍었다. 줄거리는 간단하지만 장면마다 들어 있는 디테일은 매우 사실적이어서 약간 감탄하게 된다. 분명 대사도 있을 텐데 기술적인 문제로 아직 더빙을 하지 못했다, 고 첫째가 설명했다. 저 가족은 어디에 가는 길이냐는 나의 질문에 둘째는 휴가를 떠난다고 답했다. 첫째가 뉴욕이라고 행선지를 덧붙였다.

휴가철이 되면 공항을 통해 비행기를 타고 어딘가로 여행을 떠나는 가족. 아이들이 생각하는 행복한 가족의 단면일까. 첫째가 제작한 작품을 보면서 레프 톨스토이의 소설 《안나 카레니나》의 첫 문장이 머릿속을 맴돌았다.

"행복한 가정은 모두 비슷한 이유로 행복하지만 불행한 가정은 저마다의 이유로 불행하다."

나는 오랫동안 이 문장을 품고 살아왔다. 행복한 가정을 이루기 위해서는 여러 조건이 충족돼야 하고, 그 여러 조건 중 하나라도 부족하거나 빠지면 불행해질 수 있다는 것으로 이해했다. 맞는 말처럼 들리기도 한다. 실제로 주변에서 볼 수 있는 '일반적'인 프랑스 가족들은 그 겉모습이 닮아 있다. 우선 방학이면 어디론가 떠난다. 휴가철에는 할머니 할아버지 소유의 별장에서 가족들과 시간을 보내고, 겨울에는 스키장에 간다. 일상을 더 살펴보면, 일요일엔 성당에 가고, 아이들은 집에서 악기 수업을 하고, 스카우트 활동을 하고, 승마를 배우고, 사립학교에 다닌다. 학과 공부에 뛰어난 것은 물론 예의가 바르고 우애도 돈독하다.

불행한 가족의 사례는 좀 더 쉽게 떠올릴 수 있다. 엄마와 아빠 중 한 명만 있다거나, 둘이 있어도 폭력적이라거나, 알코올에 의존할 것이다. 아이들은 방학이든 아니든 TV 앞에서 대부분의 시간을 보내고, 서로 싸우는 것은 기본이고 욕설은 옵션일 것이다. 그런데 조금만 유심히 들여다보면 불행한 가족의 모습은 오히려 보편적이어서 전 세계적으로 비슷비슷하고, 행복한 가족은 나라마다 문화에 따라 그 모습이 조금씩 다르다는 것을 알 수 있다. 그래서 나는 톨스토이의 저 유명한 문장을 이렇게 다시 써보았다.

"불행한 가정은 모두 비슷한 모습으로 불행하지만 행복한 가정은 저마다의 이유로 행복하다."

우리 가족은 사례로 든 프랑스의 일반적인 가족과 같은 점도 있고 다른 점도 있다. 조건 중 여러 가지가 부족하거나 없지만 우리가 불행하다고 생각하지 않는다. 첫째가 만든 작품의 시나리오처럼 우리

가족이 휴가를 보내기 위해 뉴욕에 간 적은 없다 하더라도, 아이들 스스로가 이 가족 안에서 불행하다고 생각하지 않을 거라고 확신한다. 우리가 행복할 수 있는 조건은 남들이 정하는 것이 아니라 우리가 만드는 것이기 때문이다.

다시 안니와 아부바카의 관계를 떠올렸다. 손주가 없는 안니는 아부바카를 손주 이상으로 생각하고 아낌없이 준다. 고국인 기니로는 갈 수 없는 형편이어서 할아버지 할머니를 비롯한 엄마 가족들과 전혀 왕래가 없는 아부바카에게 안니는 할머니 그 이상의 존재다. 아부바카의 지적 수준은 또래 평균보다 훨씬 뛰어나지만 아부바카의 엄마는 전혀 관심이 없다. 오로지 안니의 의지가 반영된 결과다. 아부바카가 저 상태로 올 9월 초등학교 1학년에 입학하면 아마 2학년으로 곧바로 월반을 해도 이상할 게 없을 정도다. 안니와 아부바카는 서로를 채워주는 존재인 것이다. 구멍이 송송 뚫려 있는 것처럼 보이는 이 두 가족은 행복하다 말할 수 없는 걸까.

자꾸 한국 노래가 끌리는 건

5월 9일(격리 55일째) 토요일 맑음

뭐든 하지 말라고 하면 더 하고 싶어지는 것처럼, 격리된 뒤에 나가고 싶은 욕구가 더 커진 것은 나뿐 아니라 코로나 바이러스로 격리를 당한 전 세계 수억 명의 마음일 것이다. 나에게 초점을 맞추자면, 그냥 밖에 나가고 싶은 것을 넘어, 요즘처럼 한국에 가고 싶었던 적이 있었나 싶을 정도다. 프랑스에서는 아직 코로나19에 대한 특별한 반응이 보이지 않던 지난 2월, 올여름은 첫째와 둘째만 데리고 한국에 다녀오기로 결정한 뒤 큰 마음먹고 항공권을 구입했다. 파리-로마-서울로 이어지는 이탈리아 국적기였는데, 구입한 지 2주쯤 후에 항공사로부터 연락이 왔다. 비행이 취소됐으니 환불해줄 것이라고 했다. 당시 이탈리아 상황은 점점 심각해지고 있었지만, 7월이면 시간이 있으니 괜찮을 것이라고 생각했었다. 그렇게 한국행이 한 번 좌절돼서 더욱 간절해진 것인지도 모르겠다. 최근 구글에서 항공권을 검색하고 있는 나를 발견한 건, 격리가 곧 해제된다고 하니 또 엉덩이가 들썩거린 탓일 게

다. 그러나 현실적으로 올해는 어려울 것 같다.

고향에 대한 향수는 국제결혼을 한 커플의 숙명과도 같은 것이다. 둘 중 한 명은 겪을 수밖에 없다. 어디에서 사느냐를 선택하는 것은 둘 중 누가 향수를 갖고 살 것인지를 결정하는 문제인 것이다. 우리 부부의 경우, 프랑스에 살 때 내가 느끼는 향수와 한국에 살 때 아내가 느끼는 향수 중 전자의 무게가 가벼울 것이라고 판단했다. 아내가 한국과 친한 정도와 내가 프랑스와 친한 정도를 굳이 따진다 해도 우리 가족은 프랑스에 사는 게 합리적이다. 결혼하기 전에 프랑스에서 살아본 경험이 있고, 워낙 어려서부터 집을 떠나 살았기 때문에 향수 같은 감정은 내게 별로 중요하지 않다고 생각했다. 그런데 최근 1~2년 사이, 혹시 이런 게 향수인가, 라는 생각을 자주 하게 된다. 자꾸 한국 음악에 손이 간다. 분명 전에 없던 현상이다.

연애시절 아내와 나의 첫 공감대는 미국 재즈그룹 핑크 마티니였다. 내가 파리에서 유학하던 1990년대 말 이들의 1집 앨범에 수록된 노래가 프랑스에서 빅히트를 친 적이 있다. 가사는 1913년에 발표한 기욤 아폴리네르의 시 〈호텔〉에서 차용했다.

Je ne veux pas travailler 일하고 싶지 않아

Je ne veux pas déjeuner 점심도 먹고 싶지 않아

Je veux seulement l'oublier 그냥 잊고 싶어

Et puis je fume. 그리고 담배를 피우지.

    그룹의 메인 보컬 차이나 포브스가 미국 억양이 섞인 프랑스어로 부른 'Sympathique'의 후렴구는 중독성이 강해서 2000년 전후로 거의 모든 프랑스 젊은이들이 흥얼거리는 노래가 됐다. 자료를 찾아보니 1997년에 나온 이 앨범은 프랑스에서 65만 장이나 팔렸다고 한다. 에펠탑을 배경으로 아이들이 롤러스케이트를 타는 장면이 담긴 노란색 1집 앨범 표지 사진은 이들의 데뷔 20주년 콘서트의 포스터로 쓰이기도 했다. 한국에서 만난 아내가 내게 한 첫 선물은 2007년에 나온 핑크 마티니의 3집 앨범이었고, 나는 지난 2017년 아내의 생일에 핑크 마티니의 20주년 프랑스 투어 콘서트 티켓을 선물했다. 우리는 이들이 낸 정규앨범 열 장 중 아홉 장의 CD를 갖고 있다. 1집 앨범이 없는데 그것은 오래전에 내가 분실했다.

아내와 나의 첫 공감대인 그룹 핑크 마티니의
20주년 기념 콘서트 포스터

티타임이나 아뻬로를 위해 배경음악이 필요한 순간, 아내와 나는 주로 이들의 음악을 들었다. 그것도 CD플레이어를 통해서. 둘 다 아날로그 감성이 남아 있었나 보다. 우리가 가진 수십 장의 CD를 듣고 또 듣고, 했다. 불법 다운로드를 한다든가, 멜론 같은 스트리밍 서비스에 매월 돈을 낼 열정도 없었던 것이다. 변화는 우연한 기회에 찾아왔다. CD플레이어가 생을 마감한 것이다. 그리 오래된 제품은 아니었는데, 브랜드는 유명해도 한국에서 산 제품이어서인지 고치는 데 갔더니 부품을 찾을 수 없다며 두 손을 들었다. 우리가 들을 수 있는 음악은 아내의 아이폰에 들어 있는 노래 십수 곡이 전부였다. CD플레이어를 고칠 수 없다는 최종 선고가 나자 우리는 뭔가 대책을 세워야겠다는 결론을 내렸다. 집에 TV도 없는데 음악까지 없으면 너무 삭막하니까. 결국 우리는 애플 뮤직에 가입해 가족 옵션을 선택하고 장인 장모, 처제 가족과 공유하기로 했다. CD플레이어는 블루투스 스피커로 대체됐다.

이런 신세계가 있을 줄이야. 월 15유로에 세상의 거의 모든 음악을 들을 수 있다는 사실에 우리는 감탄했다. 남들은 10년 전부터 사용하고 있는 서비스에 이제야 감동하고 있는 나 자신이 처량했다. 아날로그 감성이라 믿었던 것 역시 그냥 귀찮음의 다른 표현이었는지도 모르겠다는 생각이 들었다. 그렇게 세상의 모든 음악에 대한 접근이 가능해지자 내 플레이리스트에 핑크 마티니 음악이 아닌, 잔나비의 노래들이 실리기 시작했다. 잔나비가 내 어린 시절 향수를 상징하는 가수는 절대 아니지만, 오래 들으니 흥얼거리게 됐다. 옛 시절이 그리웠다면 부활을 찾앉을 것이다. 나는 그저 한국적인 뭔가가 부족했던 거다. 이런 걸 단어로 표현하면 향수라고 하는지도 모르겠다. 나의 향수를 보듬어줄 목소리의 주인공은 잔나비에서 아이유로, 아이유에서 버스커 버스커로, 또 델리 스파이스로, 루시드 폴로 무한 확장을 하게 됐다.

　　내 덕에 아이들도, 심지어 아내까지도 한국 노래를 흥얼거리게 됐다. 그러나 아내와 아이들은 내가 요즘 부쩍 한국 노래를 자주 듣는 것이 어떤 의미인지 알기나 할까. 격리 해제를 이틀 앞두고 아내와 함께 정원 벤치에 앉아 아뻬로를 즐기며 애플뮤직을 통해 흘러나오는 잔나비의 노래를 감상하자니, 한국 시골집 앞마당에서 이런 여유를 즐길 수 있으면 얼마나 좋을까 하는 기분 좋은 상상을 하게 된다. 아무리 기분 좋은 상상이어도 이런 게 잦아지면 그냥 향수에서 '향수병'이 되는 거다. 아직 나는 그 단계는 아니다. 병으로 발전하려면 고독이라는 MSG가 첨가돼야 하는데 그러기엔 내 주변이 너무 시끄럽다.

일기장을 닫으며

5월 10일(격리 56일째) 일요일 비

디데이를 하루 앞둔 오늘, 너무 설레는 마음에 어쩔 줄 모를 것만 같았는데 막상 내일부터 원래 일상으로 돌아간다고 생각하니 마냥 즐겁지만은 않다. 내일부터 단계적으로 돌아가는 것이어서 당장 크게 바뀌는 것은 별로 없을지 모르지만 나갈 때마다 증명서 따위를 지참하지 않아도 된다는 사실만으로도 즐거울 줄 알았다. 시원한 마음은 당연한데 이 섭섭함은 도대체 뭔가. 약간 당황스럽다.

격리 생활에 너무 길들여져 있었던 것인지도 모르겠다. 잘 만들어진, 3시간에 가까운 꽤 긴 영화 한 편을 보고 극장 밖에 서둘러 나가고 싶지 않은 기분이랄까. 영화의 여운이 쉽게 깨지는 게 못내 아쉬워 의자에 푹 눌러앉은 채 화면 속의 수많은 이름을 흘려보내고 있는 그 기분 말이다. 버티다 버티다, 청소하는 직원이 등장하면 마지못해 상영관을 나서고, 이윽고 극장을 벗어나 뜨거운 햇살 아래 서는 순간 현실의 나로 돌아온다. 3시간이 아니라 56일 간이나 지속된 영화가 끝나게 됐는데, 극장에서 나오는 일이 간단할 리 없다.

웰메이드 영화가 될지 어떨지 알 수 없으나 새로운 경험인 것만은 확실하다. 두 달 동안 온전히 우리 가족끼리만 지내는 일은 전에도 없었고, 앞으로도 체험해보기 어려운 일이 아닐까 싶다. 여름방학을 해서 처가에 가더라도 장인 장모를 비롯한 다른 식구들과 함께 지냈고, 반대로 한국에 갔을 때도 마찬가지였다. 넷째가 태어나기 전인 2년 전쯤 여름방학이 끝나기 직전 브르타뉴 지역으로 4박5일 동안 우리끼리만 바캉스를 떠난 적이 있다. 몽생미셸과 생말로 중간쯤에 위치한 바닷가 마을 집을 렌트해서 다섯이 시간을 보냈다. 여행이 끝나고도 한동안 우리는 그 시간들에 대해 이야기를 나눴다. 하루 일과를 떠올려봐야 특별한 건 없었다. 그저 함께 새로운 곳을 구경하고, 함께 걷고, 함께 먹는 일이 전부였다. 평소 우리 가족만 있을 수 있는 시간이 별로 없었기 때문인지 짧았던 그 여행이 아주 좋은 느낌으로 기억에 오래 남아 있다.

격리조치가 의도하지 않게 우리에게 그런 시간을 만들어준 것이다. 아이들에게 갇혀서 지내는 동안 어땠는지 물었더니, 다 같이 시간을 보낼 수 있어서 좋았다고 입을 모았다. 첫째가 둘째, 셋째와 함께 노는 모습은 점점 보기 힘들어지던 차였다. 중학생이 되고 나서는 더욱 그랬다. 주중에는 학교에서 돌아오자마자 숙제하고 씻고 저녁 먹고 자러 가면, 함께 놀기는커녕 이야기를 나눌 시간도 많지 않다. 주말

에는 테니스나 스카우트로 각자 바쁘고, 그것도 없으면 친구 집에 초대
받아 가기 일쑤다. 두 달 가깝게 집에서 지내는 동안 아이들이 함께 머
리를 맞대고 만들어놓은 것들을 모아놓으면 전시관의 방 하나는 채울
수 있을 것이다. 아이들은 만약 격리가 길어졌어도 계속해서 뭔가 할
거리를 찾아내 분주했을 게 분명하다.

당장 내일부터 가장 먼저 일상으로 복귀하는 건 아내다. 학
생들은 아직 등교를 하지 않지만 교사들은 코로나 수칙 관련 교육을 받
는다고 한다. 아내는 교수법 관련해서는 강의도 한 번 안 하더니, 오후
4시간 동안 바이러스, 바이러스, 하게 생겼다고 불만을 토로했다. 전에
아내가 동료들과 문자로 주고받았던 장문의 우스갯소리가 결코 농담이
아니라 통찰력이 돋보이는 블랙 코미디였다. 기침 한 번만 해도 손을
씻어야 하고, 화장실에 한 명만 다녀와도 손잡이와 화장실 내부를 소독
해야 하고, 운동장에서 멀찍이 떨어져 있어야 한다. 다행인 것은 전교
생 80여 명 중에 등교하는 학생 수가 10명이 채 안 된다는 사실이다. 집
에 머무는 학생들을 위한 원격수업 준비는 그것대로 해야 하고, 학교에
오는 학생들을 위한 수업도 진행해야 해서 이중고가 될 수도 있다. 아
내의 반 아이들은 기껏해야 서너 명 정도라고 한다.

첫째 역시 내일부터 일상으로 복귀다. 학교에 가지는 않아도
당장 절친의 집에 초대를 받았기 때문이다. 샤를롯의 집에서 콩스탕스
와 함께 셋이 모이게 됐다. 그 사실을 엄마들끼리 결정하고 첫째에게

통보한 오후부터 표정이 계속해서 상기돼 있다. 첫째가 격리 해제를 기다렸던 이유 중 하나는 갇혀 있느라 지나쳤던 생일 파티를 해야 하기 때문이다. 보통은 친구 여럿을 초대해서 한 나절을 놀고, 그중 몇몇은 집에 남아 파자마파티까지 이어간다. 올해는 1차를 생략하고 몇몇을 초대해서 놀고 계속 파자마파티로 여세를 몰아간다는 계획이다. 친구 셋을 초대하기로 했다.

둘째와 셋째는 일주일 동안 격리 중에 하던 스케줄을 그대로 하고, 그 다음주 월요일부터 학교에 가게 된다. 셋째는 오는 화요일부터 등교인데, 형제가 같은 학교에 다니는 경우 등교일을 맞춰준다는 방침에 따라 둘째와 같이 5월 18일 첫 등교를 하게 된다. 벌써 다음주에 해야 할 교과 공부가 담긴 메일들이 도착해 있다. 둘째는 격리 기간 동

안 두꺼운 소설에 흥미를 가지기 시작했다. 전에는 주로 만화를 읽고 기껏해야 20~30쪽짜리 어린이 소설을 읽었는데 300쪽이 넘는 청소년 소설을 읽기 시작했다. 잊을 만하면 와서 오늘 11장까지 읽었어요, 하며 진도를 자랑한다. 첫째는 지난해 해리포터 시리즈를 7권까지 다 읽었는데, 조만간 둘째도 도전할 것 같다. 셋째는 글씨를 전보다 잘 읽고 잘 쓰게 됐다. 필기체 연습도 시작했다. 그러나 그런 것들보다 나를 더 기쁘게 하는 것은 손가락 빨기를 끊었다는 사실이다.

넷째는 화요일부터 보육원에 가게 된다. 원장의 말에 따르면 넷째를 보육원 교실까지 데려다주는 과정이 전과 달라진다. 우선 부모가 정문을 직접 열어서는 안 된다. 직원이 문을 열어 우리를 맞이한 뒤 아이를 안으로 데리고 간다고 한다. 부모는 정문에서 아이와 작별인사를 하는 셈이다. 우리 여섯 중 격리 기간 동안 가장 많은 변화를 겪은 것이 넷째다. 갇혀 있는 동안 인생의 6분의 1이 지나갔으니 당연하다. 겨우 몸을 뒤집는 수준이었는데 이제 혼자 일어설 수 있게 됐다. 얼마 지나지 않아 걸을 기세다. 보육원 교사들이 놀랄 모습을 상상하니 벌써 즐겁다. 돌을 지나면서 분유를 일반 우유로 바꿨고, 이유식도 거의 끝나가고 있다. 최근에 우리가 한국식 식사를 하며 쌀밥을 줬는데 왜 이걸 이제야 주는 거야, 라고 말하는 듯 잘 먹는 걸 보면서 이유식 만드는 스팀기도 이제 정리할 때가 됐구나, 했다.

이제 내 차례다. 내 경우는 다른 가족들과 달리 좀 복잡하다.

격리 이전의 일상을 다시 지속할 수 있을지 확실치 않기 때문이다. 투르에 가서 우버 일을 하는데, 집에서 한 시간 걸리는 거기까지 가서 하루 종일 버텨봐야 한두 명 태울 거면 그냥 안 가는 게 남는 것일 수도 있다. 코로나19 사태 때문에 유동인구가 전과 같지 않을 것이다. 내게 도착한 최근의 희소식 중 하나는 코로나 연대기금을 수령했다는 사실이다. 정부가 자영업자와 소상공인을 위해 지난해 같은 달과 매출을 비교해 최대 1500유로까지 지원을 해주는 것인데, 3월은 기준이 안 돼서 신청을 못했고, 4월 한 달은 매출이 제로여서 나에게도 해당사항이 있게 됐다. 나의 '포스트 코로나'에 대해서는 더 고민이 필요하다.

56일 동안 51번의 일기를 썼다. 신문사를 그만둔 뒤 오랫동안 꾸준하게 글을 생산한 것은 처음인 것 같다. 신문사를 포함하더라도 '나'가 주어인 글을 이렇게 많이 쓴 것은 처음이다. 초등학교 때 썼던 방학숙제용 그림일기를 빼면. 일기를 쓰기 위해 가족들을 더 유심히 살피고 대화를 깊이 나누기 위해 노력했다. 아이들과 부딪히며 보였던 나의 일상적 짜증과 간헐적 분노가 일기에 크게 드러나지 않은 것은 내가 아직 성숙하지 못했음을 보여주는 증거다. 짜증과 분노가 일었던 것도, 그걸 드러내지 않았던 것도 마찬가지다. 세심한 독자라면 행간에서 읽었을 수 있다. 다만 나의 모든 단점에도 불구하고 가족과 보낸 시간만큼 우리 모두 단단해졌음은 두말할 필요가 없다. 이제 일기장을 닫고 극장 밖으로 나설 때다.

추신. 오늘 현재 프랑스의 확진자는 13만9063명이고, 사망자는 2만6380명이다. 한때 600명을 넘었던 일일 사망자 수는 70명으로, 어제부터 두 자릿수를 유지하고 있다. 월요일이 되면 수치가 살짝 오를 수는 있지만 2차 대감염이 아닌 바에야 전처럼 급격하게 오르진 않을 것이다. 중증 환자의 수도 2776명으로, 계속해서 줄고 있다. 마크롱 대통령은 격리 해제를 하루 앞둔 오늘 프랑스인들을 향해 "여러분 덕분에 바이러스는 한 발 물러섰습니다. 하지만 바이러스는 여전히 여기 있습니다."라는 메시지를 냈다.

다시 찾은 일상

외출 증명서 없이 집 밖에 나갈 수 있게 된 지 두 달이 됐다. 한 달 전부터는 100킬로미터 제한도 풀렸다. 프랑스인들에게, 다시 온전한 이동의 자유가 주어진 것이다. 이동의 자유를 등에 업은 우리는 언제 격리된 적이 있었냐는 듯 일상을 채워나갔다. 격리 이전과는 다른 생소한 장면들이 이어졌지만 빠르게 적응했다.

초기에는 카페와 식당을 제외한 모든 상점의 문이 열렸다. 상점 입구에는 손세정제가 비치돼 있고, 마스크 착용을 강제하는 곳들도 생겼다. 격리 해제 초기에 아내는 마스크 없이 시내 서점에 갔다가 안에 들어가지도 못하고 그냥 돌아온 적이 있다. 대부분의 가게는 바닥에 화살표를 붙여 동선을 지정해놓고, 계산대 앞에도 1미터 간격을 지킬 수 있게 표시를 해두었다. 계산대 앞의 투명 가림막은 마트뿐 아니라 어디서든 볼 수 있게 됐다.

손목시계 배터리를 갈기 위해 금은방에 들렀는데 새 배터리를 끼운 시계를 내 손목에 다시 차는 데까지 총 3일이 걸렸다. 손님에게 받은 시계를 비닐봉투에 넣은 뒤 24시간이 지나야 만질 수 있고, 작업이 끝난 시계를 다시 비닐봉투에 넣어 48시간이 지난 후 손님에게 돌려준다는 해당 금은방의 코로나 수칙 때문이었다.

카페와 식당은 6월 초에 일제히 문을 열었고, 여름방학을 2주 앞둔 6월 22일부터는 보육원과 초등학교, 중학교까지 모든 학생이 학교에 가게 됐다. 5월 11일 조치처럼 원하는 학생들만 가는 게 아니라 이번에는 의무사항이라고 못 박았다. 지켜야 할 수칙이 많고 학생들이 많아지니 교사들은 더욱 골치가 아프게 됐지만 아이들은 친구가 많아져서 학교 갈 맛이 나는 것 같다고 했다.

격리 해제 초기에 잘 지켜지던 각종 교내 수칙은 시간이 흐르면서 느슨해지는 것 같았다. 둘째는 쉬는 시간에 술래잡기 놀이를 해도 더 이상 제지하지 않는다고 했다. 학교뿐 아니라 상점과 거리 등 일상 공간에서도 마찬가지였다. 사람들은 쇼핑몰 바닥에 붙은 화살표 방향을 무시하거나 1미터 간격을 지키지 않았고, 날씨가 더워지면서 마스크를 착용하지 않은 사람도 점점 많아졌다.

아이들이 모두 학교와 보육원에 가게 된 시점부터 일주일에 이틀 정도 우버 영업을 위해 인근 대도시인 투르에 갔는데, 매출이 영 시원치 않았다. 우버 본사의 재정 압박 때문인지 투르 지역 운전자에게 주어지던 보너스 제도가 없어진 것이 가장 큰 이유였다. 대중교통을 피하기 위해 우버로 오는 수요는 플러스 요인이었지만, 이동 자체를 하지 않는 분위기와 거의 제로가 된 외국인 관광객은 커다란 마이너스 요인이었다.

격리에서 벗어난 뒤 우리 부부가 만족스러웠던 것은 타인과의 정상적인 사회생활이 가능해졌다는 사실이다. 친구들을 만날 수 있게 된 것이다. 여러 가족이 모여 함께 나들이를 가기도 하고, 서로의 집에 초대해 아뻬로를 즐기기도 했다. 이전처럼 만날 때마다 볼뽀뽀를 나눌 수는 없었지만, 만나서 서로의 안부를 묻는 것만으로도 우리는 충분히 교감했다. 대단한 게 아니더라도 타인과 교감을 나누는 일상이 소중하다는 걸 느낄 수 있었다. 두 달간의 격리가 준 교훈이랄까.

여러 긍정적인 측면에도 불구하고 불안감은 여전하다. 9월 개학이 가까워지면 불확실성이 더 커질 것이다. 불안감을 없애는 방법은 코로나 종식 선언인데 이는 프랑스뿐 아니라 전 세계 어디서도 요원한 일이기 때문이다. 최근 들어 다시 상승하고 있는 프랑스 내 확진자 그래프를 감안하면 불안감을 근거 없는 엄살로 치부할 수도 없다.

이동의 자유를 얻은 만큼 불안감은 커지게 되는 아이러니라고나 할까. 코로나 바이러스와 함께 사는 일은 어쩌면 그 불안감을 인정하는 데서 시작되는 것일지 모르겠다. 그게 어렵다면 다시 갇혀 지내는 수밖에. 그러나 그건 개인뿐 아니라 국가 입장에서도 최대한 피하고 싶은 일이라는 게 "2차 유행이 오더라도 전면 격리는 없을 것"이라고 선언한 새 총리의 입장에서도 잘 드러난다.

이변이 없는 한 우리가 다시 갇혀 지내는 일은 없을 것 같다. 하지만 만에 하나, 지난봄의 일이 재연되더라도 인권의 나라 운운하면서 지레 겁을 먹지는 않을 것이다. 격리의 장점도 상당하다는 것을 이미 경험했으므로. 다시 일기장을 열고, 집안 곳곳을 손질하고, 아이들과 하루 종일 부대끼며 우리는 조금 특별한 일상을 헤쳐갈 것이다.

2020년 7월

세상이 멈추자 일기장을 열었다

초판 찍은 날 2020년 8월 12일
초판 펴낸 날 2020년 8월 20일

지은이 정상필

펴낸곳 오엘북스
펴낸이 옥두석

편집장 이선미 | **책임편집** 임혜지
디자인 이호진

주소 경기도 고양시 일산동구 중앙로 1055 레이크하임 206호
전화 031. 906-2647 | 팩스 031. 912-6643 | 이메일 olbooks@daum.net
출판등록 2020년 1월 7일(제2020-000115호)

ISBN 979-11-969309-1-2 03810